新 潮 文 庫

わが友マキアヴェッリ

フィレンツェ存亡

1

塩 野 七 生 著

新 潮 社 版

8932

目次

2巻目次

3巻目次

わが友マキアヴェッリ

フィレンツェ存亡

1

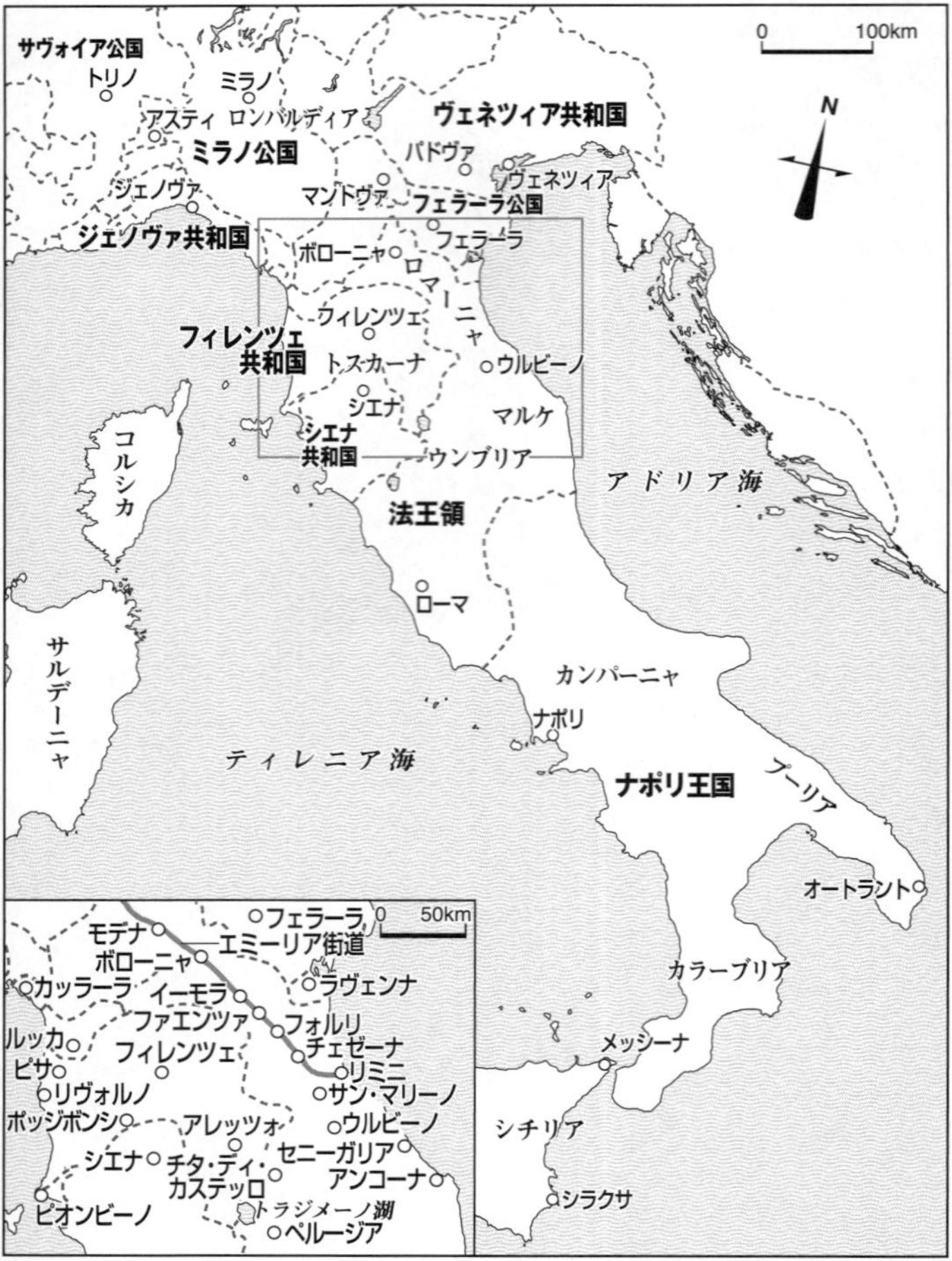

ルネサンス時代のイタリア（左下はフィレンツェおよび周辺）

序章　サンタンドレアの山荘・五百年後

フィレンツェの市街をあとに、マキアヴェッリが『君主論』を執筆した山荘のあるサンタンドレア・イン・ペルクッシーナへ向うには、道が三つある。

三つの道すじとも、フィレンツェの南面に開いたローマ門（ポルタ・ロマーナ）を出てガルッツォの村にいくまでの数キロは同じなのだが、そこでまず、ヴォルテッラ街道が右に折れる。これが第一の道である。

だが、そこを折れないでまっすぐいくと、旧ローマ街道の一つ、ヴィア・カッシアに入っていく。現代ではこれもカッシア街道と呼ばれているが、古代ローマ時代のヴィア・カッシアは、シエナでなくアレッツォを経由してローマに通じていたから、ポルタ・ローマナからはじまる街道は、古代のカッシア街道の支道でもあったのだろう。これをいくのが、第二の道。

ちなみに、ローマへ通ずる門という意味でポルタ・ロマーナ、つまりローマ門と呼ばれる門は、市壁をめぐらせた時代をもつ都市ならばどこにでもある。なにしろ、すべての道はローマへ通ず、であったのだから。

第三の道は、ヴォルテッラ街道やカッシア街道が古代からあった道であるのとちがって、二十世紀に入ってからつくられた道である。カッシア街道にまっすぐ入っていくのを左手に見ながら、かといって右手に直角に折れて、そこを走っているミラノ・ローマ間を結ぶ高速道路にも入らずに、ちょうどその中間に口を開けている、シエナに通ずるスーパー・ストラーダを選ばねばならない。

このフィレンツェ・シエナ間の道路は、アウト・ストラーダ（高速道路）とは呼ばれていない。それはなにも、国の道路公団が敷設《ふせつ》した道でないからそう呼ばれないのではなくて、高速道路ならば欠くことは許されない種々のサービスがととのっていないからである。といっても、フィレンツェからシエナまでは一時間余りでいけるのだから、ガソリン・スタンドなどなくても、格別不都合ということにはならないのだ。そのうえ、この道は高速道路とちがい、通行料はタダである。

しかし、普通のストラーダ（道路）でなく、スーパー・ストラーダと呼ばれるだけの資格はあって、片側二車線のこの道路のつくりは、高速道路とほとんど変りはない。そして、この道は、一私企業が敷設した道である。シエナに本店のある銀行、モンテ・ディ・パスキがつくらせたもので、利益の社会還元のたぐいであるのだろう。この銀行は、マキアヴェッリの生れた時代の創業なのだが、一九二九年の大恐慌《だいきょうこう》の際にも、びくともしなかったそうである。トスカーナ地方の農業経営者が主なる預金者だったために、しぶとくもちこたえたのだという。

この道をいくのが、マキアヴェッリの山荘へ向うには、最も近い。スーパー・ストラーダに入って五分も車を走らせれば短いトンネルに入って、そこを出てまもなく右手に、サン・カシアーノと書かれた表示が近づいてくる。そこでスーパー・ストラーダを捨て、しばらくゆるい勾配《こうばい》の田舎道を登りつめ、右手に折れて五百メートルもいけば到着だ。距離にすれば他の二つの道と大差ないのだが、高速をいくだけに、時間はずっと短くてすむ。

カッシア街道をいくほうは、渓流にそってしばらく進むと、流れをまたぐ橋が見えてくる。そこで古《いにしえ》の街道を捨て、少しばかり勾配の急な道を登りつめると、もうそこがサンタンドレア・イン・ペルクッシーナである。ただ、街道を捨ててからの道が、北に向いた森の中を通っているので、うっそうと繁る樹々にさえぎられ、陽光の暖かさは地表までとどきにくい。冬ならば、雪も消えにくかったであろう。比較的にしても急坂だし、冬期は、避けられるなら避けるほうを選んだのではないだろうか。ただし、この道を使うならば、フィレンツェの市門を出てから、わずか十キロの距離である。

ガルッツォの村ですぐに右に折れる、ヴィア・ヴォルテラーナと呼ばれるヴォルテッラ街道だが、この街道の名の由来は、ヴォルテッラの町を経由してティレニア海へ抜ける道であるためで、昔は、塩を運ぶ街道として知られていた。

この道は、ガルッツォを出てまもなく、ゆるい勾配の曲がりくねった道に変る。曲がるたびにちがった様相を見せて眼下に横たわる、チュルトーザと呼ばれる、城塞《じようさい》づくりの古い僧院が美しい。

坂を登りつめてからは、中世の僧院は見えなくなるかわりに、今度は、典型的なトスカーナ地方の田園風景が、視界いっぱいに広がってくる。中部イタリアに位置するトスカーナ地方は、低いなだらかな丘陵が重なりあってつづくのが特色だが、盆地にできた街フィレンツェは、市門を出てから五、六分も車を走らせればもう、それを満喫することができる。

濃い緑の糸杉と、レスピーギ作曲『ローマの松』を思いだす有名な傘松、地中海地方の陽光をふんだんに浴びてそれを溜《た》めこんでいるとでもいうふうに、こんもりと暖かい緑の傘松の群れ。トスカーナは、傘松の北限にあたるのではないだろうか。そしてそれらの間を、風に吹かれるたびに白っぽい葉の裏を光らせるオリーブの樹と、季節ごとに様相を変えてゆく葡萄《ぶどう》の畑が埋める。コリーナと呼ばれる丘陵のいただきには、必ずといってよいほど、鐘楼が目じるしの教会や僧院、おおげさに胸間城壁までついた壁をめぐらせた山荘などが眺められる。それらへ行きつく道を見つけるのは簡単だ。糸杉の列が、丘陵の稜線《りょうせん》にそってつづいているところが通路なのである。

ヴォルテッラ街道ならば、丘陵の尾根にそって走っているので、陽光に不足することはない。真夏は耐えがたいかもしれないが、冬でも、雪や氷に悩まされることはなかったであろう。街道の左右になだらかに降りる斜面には、一面の葡萄畑が広がっている。丘陵地帯だけに、この地方の葡萄の樹は、水はけがよければ葡萄酒の出来もよくなる品種が支配的である。

キアンティとは、一醸造会社の製品を示す名称ではない。フィレンツェとシエナの間に横たわる丘陵地帯をキアンティと呼ぶので、そこで産する葡萄酒はすべて、キアンティ酒なのである。

ただし、これにも上と並の区別はあって、上は、キアンティ地方の中でもある特定の区域でつくられる葡萄酒を指し、「キアンティ・クラシコ」、クラシックなキアンティと呼ぶ。並のほうは、それ以外のキアンティ地方で産する葡萄酒全体を指し、天使を商標に使っていることから、「キアンティ・プット」(天使のキアンティ)と呼ばれる。ちなみに、キアンティ・クラシコの商標は、黒い雄鳥《おんどり》である。他に少し、シエナのキアンティと呼ばれる品種もあるが、これも並に属す。

ヴォルテッラ街道をキアンティ地方に入ると、まず、天使を描いた立札に出会う。並のキアンティ酒の産地に入ったということである。だが、その後まもなく、黒い雄鳥の立札が見えてくる。それには、あなたがたはキアンティ・クラシコの産地にいます、と書いてある。この地方の上質の葡萄酒の産地は、フィレンツェ・シエナ間に広がるキアンティ地方の中でも、ずっとフィレンツェに近く寄ってあるからである。

このあたりで山荘《ファットリーア》を所有するということは、山荘の建物だけでなく、山荘周辺の葡萄畑やオリーブ畑などもともに所有するということである。マキアヴェッリの山荘も、例外ではなかった。つまり、マキアヴェッリ所有の葡萄園から産する葡萄酒は、「上」であったということになる。

もちろんこのような区別は、たかだか百年ほど昔に整備されたにすぎない。また、キアンティ地方の農業振興が本格的にはじめられたのは、フィレンツェ共和国が崩壊し、メディチ家がトスカーナ大公の位につくようになってからである。マキアヴェッリは、すでに半世紀前に死んでいる。

しかし、工業製品とちがって農産物は、なにもないところに新たにつくるのはむずかしい。振興策が効果を発揮するのも、そこにすでに、相当な基盤が存在していたからである。実際、マキアヴェッリと同時代人である法王庁の葡萄酒係ランチェリオの残した記録によると、キアンティという名こそまだないが、この一帯で産する葡萄酒の質はよかったことがわかるのである。

また、マキアヴェッリの父親の書き残した記録には、一四八六年、ティトゥス・リヴィウス著の『ローマ史』をフィレンツェの製本屋に製本に出したことが記されているのだが、その代金として、三本のフィアスコ、例の下半分がこもをかぶったキアンティ酒独特の酒びん三本の赤葡萄酒と、日本ではワイン・ビネガーといわないと通じない葡萄酒からつくった酢、これもフィアスコ一本を、製本屋にもっていったと書いてある。不味《まず》い酒だったとしたら、製本屋だって、銀貨で支払われるほうを望んだのではないだろうか。

葡萄酒やオリーブに支払いの代わりをさせるのは、貧乏であったという証拠には必ずしもならない。支払いを要求しない弁護士や医者や、そして子供の学校の先生などに、自家製の酒やオリーブ油やハムを贈るのは、フィレンツェでは今でも粋《いき》な謝礼の方法とされている。貨幣経済が確立していても、物々交換もまた盛んであった中世・ルネサンス時代では、ごく普通の支払いの方法であったのだろう。四本のフィアスコをさげて製本屋へいき、皮か布地かできちんと製本ずみの『ローマ史』を小わきにかかえて製本屋を出たであろう人こそ、十七歳になっていたマキアヴェッリであった。

ここで、十五年来の私の疑問を披露する気になった。というのは、マキアヴェッリは、飲めるクチであったのかどうか、ということである。

彼の著作のどこを探しても、手紙も眼を皿のようにして読んでも、酔っぱらったとか飲みすぎたとか記した箇所はないのである。だが、そういうことは酒飲みは、あまり書かないものではないだろうか。また、食事ごとに葡萄酒をたしなむ習慣をもつイタリア人は、もともと酔っぱらうという事態にあまりならない。ただ、ある人が、マキアヴェッリは体質的にアルコール分をうけつけないタイプではなかったか、と言ったことがある。しかし、時折にしても、相当な馬鹿さわぎをやった男であったことを思い起すと、あれをいつもシラフでやっていたとはなんとも信じがたい。それに、フィレンツェの街中で生れ育ち死んだ彼だが、母方の財産であったらしいこのセカンド・ハウスは、上質の酒の産地のまっただ中にある。そして、ここが最も疑問なところなのだが、体質的に酒をうけつけない男に、あのクールにして燃えるような文体をつくりだせるものであろうか。

疑問はいっこうに解決しそうにないのだが、これ以上の推理は読者諸氏にゆずるとして、先に進むことにする。

ヴォルテッラ街道を、田園風景を愛《め》でながらしばらくいくと、サン・カシアーノ村に向う曲がり角に着く。ここを左に折れ、少ししてまたも左に折れると、サンタンドレア・イン・ペルクッシーナに到着する。この道は、ヴィア・カッシアをいくよりは距離的に長くなるが、道は丘陵の尾根ぞいだし、急な坂もないなだらかな道なので、馬でいくにも不都合はない。フィレンツェという当時の大都市に、必需品である塩を運ぶ道であるところから、交通量も多かったにちがいなく、したがって治安の面でも、心配は少なくてすんだであろう。急を要さなければ、平坦《へいたん》で眺望の開けたこの道を選んだのではないだろうか。

現代では、三つの道いずれにもバスの便はある。とはいえバスを使うと、もよりの停留所で降りた後も、一キロは歩かねばならない。

サンタンドレア・イン・ペルクッシーナは、村と呼ぶのがはばかられるほど小さい。それでも、村、と呼ぶことにするが、丘陵の上の台地に、小さな教会が一つと、地主、これがマキアヴェッリ家だが、その地主の家と、居酒屋一軒と井戸一つと、当時は小作人やそのほか小さな職業をもつ者の住む家がいくつかと、これだけが、サン・カシアーノの村とカッシア街道を結ぶ小道をはさんで、つつましくかたまってあるだけなのだった。

五百年後の今日でも、これにつけ加えねばならない建物は、セリストーリ家の葡萄酒貯蔵庫だけである。セリストーリ伯爵《はくしやく》家は、マキアヴェッリの子孫にあたるある女の再婚先であったという縁で、マキアヴェッリの山荘とそれに附属した農園を相続していて、今では、マキアヴェッリの横顔を商標にした葡萄酒を売っている。居酒屋の看板にも、同じものをちゃっかり使っている。この居酒屋《オステリア》はマキアヴェッリの時代からあるのだが、今ではセリストーリ醸造の、マキアヴェッリじるしの葡萄酒も売っている。もちろん、キアンティの上を示す、黒雄鳥印の葡萄酒だ。キアンティ地方では普通に見られる、醸造元直売というたぐいなのだが。

失職して給料が入らなくなり、これではにわとりでも飼って口をしのぐしかないか、と書いたことのあるマキアヴェッリが、子孫の片割れがかくも経済能力に長じていることを知ったら、うらやましいと思うであろうことは確実である。自分の顔が商標に使われていると知っても、性狷介《けんかい》のダンテならば不機嫌をあらわにするところだが、彼ならば愉快そうに笑うにちがいない。だが、当時は、葡萄酒を売りだすことが事業としてなりたつなど、ほとんどの人が考えもしなかった時代であった。キプロスやクレタ島でマルヴァジア酒を組織的に生産し、法王や王侯君主に贈呈するという宣伝方式によって、今日のシャンパン酒に似た評判を獲得し、立派に営利事業として成功させたヴェネツィア人しか、考えも実行もしなかったことなのである。所有地からのあがりだけで悠々自適でいられる身分に生れなかったマキアヴェッリは、給料を期待できなくなれば、にわとりでも飼うしかなかったのであった。

葡萄酒ぐらや居酒屋と道ひとつへだてて向いあって建つ山荘は、道に面した側は味もそっ気もない平面的なつくりだが、反対側の庭に向ってより立体的なつくりになるという、フィレンツェ近郊のヴィラの典型的な様式を踏襲している。それに、道に立って眺めると、一見、セカンド・ハウスにしてはなかなか立派な家に思える。だが、ヴォルテッラ街道ぞいに散在する、堅固な城塞づくりや華麗なルネサンス様式のヴィラと比べれば、マキアヴェッリが、わたしは貧しく生れた、と言ったのにも、素直にうなずく気持になってくる。イタリア語では、豪華であろうとつましくあろうと関係なく、都市をめぐる市壁の外にある一戸建てならばすべて、ヴィラと呼ばれるのである。

セリストーリ伯爵家は、高名なる先祖マキアヴェッリを商標に使っただけでは申しわけないと思ったのか、それとも純粋に天才への敬意をあらわしてか、山荘は今では、マキアヴェッリの資料館になっている。両翼は後世に建て増しされたものだが、山荘の中央部は、ほとんど五百年前と同じ状態で保存されている。

用心のために小さく開けられた中世風の入口をくぐると、ゆったりと広い部屋に出る。ここには、各国語に訳されたマキアヴェッリの著作が展示されている。日本語はない。日本ではまだ、全訳の刊行が実現していないからであろう。

広間から通ずる各部屋との間じきりも、分厚い石づくり。暖炉の切り方も大きさも、そして、石づくりの階段を左右にもつ窓のつくりも、この山荘が十六世紀以前につくられたことを物語っている。二階は、家族の寝室にでも使われていたのであろう。三階は、農園つきのヴィラでは普通、農作物の乾燥に使われていた。

一階の部屋のうちひとつが、マキアヴェッリの書斎ではなかったかと思われる。この部屋ならば暖炉が切られてあって、夜に仕事したという彼のこと、夜更《よふ》けの寒さもやわらげていたのではないだろうか。

マキアヴェッリは、ここで、一五一三年十二月十日、一通の手紙を書いた。イタリア文学史上、最も有名で美しい手紙のひとつとされているものである。ローマの法王庁にフィレンツェ政府より大使として赴任していた、親友のフランチェスコ・ヴェットーリにあてた手紙であった。

「……ここでは、日の出とともに起き、森へ行く。そこでは樹を切らせているからだ。森には、二時間はいる。これまでの仕事を再検討したり、作業夫たちと過ごしたりする。なにしろ彼らときたら、手を怪我《けが》したり仲間同士で争ったり近隣の人たちと争ったりで、いつだって事故の絶えない連中なのだから。……

森を出てからは、泉へ行く。そのほとりではじめて、自分の好きなように過ごせるというわけだ。一冊の書物をもっていく。ダンテかペトラルカか、それとももっと気楽な詩人たち、ティブルスかオヴィディウスか、まあそんなところだ。そして、そこに歌われている情熱的な恋愛や詩人自身の愛を読み、わたし自身のそれも思いだしながら、しばしこの想いを満喫して過ごす。

その後で道にもどって、居酒屋に行く。そこでは、旅人と話す。彼らの国の新しい出来事をたずねたり、彼らの口からもたらされる情報に耳をかたむけたりする。人々の好みのちがいも考えのちがいも、知ることができる。

そんなことをして過ごすうちに、昼食の時刻になる。家に帰り、家族と卓を囲み、この貧しい山荘とわずかな財産が許してくれる、食事をとる。

食事が終ると、居酒屋にもどる。この時刻の居酒屋の常連は、肉屋と粉屋と二人のレンガ職人だ。この連中と一緒に、わたしはその日の終りまで、クリッカかトリッケ・トラックをしながら、ならず者になって過ごす。カードやサイコロがとび交う間というもの、一千の争いが生れ、罵詈《ばり》雑言が吐かれ、考えうるかぎりの意地悪がなされる。

ほとんど毎回金《かね》を賭《か》けているから、われわれのあげる蛮声は、サン・カシアーノの村にまでとどくほどだ。こうしてわたしは、脳にへばりついたかびをとり除き、このわたしに向けられた運命のいたずらに対して、怒りをたたきつける。自分をこのように踏みにじるのは、運命の神が、わたしを苦しめるのをいまだに恥ずかしがっていないかを、ためすためなのだ。

夜がくると、家にもどる。そして、書斎に入る。入る前に、泥やなにかで汚れた毎日の服を脱ぎ、官服を身に着ける。

礼儀をわきまえた服装に身をととのえてから、古《いにしえ》の人々のいる、古《いにしえ》の宮廷に参上する。そこでは、わたしは、彼らから親切にむかえられ、あの食物、わたしだけのための、そのためにわたしは生をうけた、食物を食すのだ。そこでのわたしは、恥ずかしがりもせずに彼らと話し、彼らの行為の理由をたずねる。彼らも、人間らしさをあらわにして答えてくれる。

四時間というもの、まったくたいくつを感じない。すべての苦悩は忘れ、貧乏も怖《おそ》れなくなり、死への恐怖も感じなくなる。彼らの世界に、全身全霊で移り棲《す》んでしまうからだ。

ダンテの詩句ではないが、聴いたことも、考え、そしてまとめることをしないかぎり、シェンツァ（サイエンス）とはならないから、わたしも、彼らとの対話を、『君主論』と題した小論文にまとめてみることにした。そこでは、わたしは、できるかぎりこの主題を追求し、分析しようと試みている。

君主国とは、なんであるのか。どのような種類があるのか。どうすれば、獲得できるのか。どうすれば保持できるのか。なぜ、失うのか。

もしもきみが、これまでのわたしの空想の所産のどれも気に入らなかったとしても、これは、気に入らないはずはないと思う。そして、君主には、とくに新興の君主には、受けいれられるにちがいないと思うのだ」

暖炉の火は、堅実な主婦であるとともに夫想いの妻でもあったマリエッタによって、今夜も、薪《まき》をたくさん投げいれなくても一定の暖かさを長時間保てるように工夫されて、背後で燃えていたであろう。南欧とはいえ、田園の冬は甘くはない。石づくりの家は、少し油断すると氷室のように冷えこんでくる。だが反対に、わずかでも暖かさを絶やさないでおくと、住み心地は悪くない。

書きもの机は、山荘の家具にふさわしく、フラティーノと呼ばれる、僧院の食堂の食卓としてつくられたのが起源の、簡素な木製の机であったにちがいない。簡素だからというだけでなく、この型の机は、書きもの机としても最適なのである。七、八センチは厚みのある板が、普通横が二メートル、たてが一メートルはあって、それをささえる脚は、太い二本の木でできており、この二本を別の太く長い木が下で固定しているのが基本の型だ。つくる時は白木だが、組立てた直後に褐色の塗料をぬり、その上にニスをのばしてできあがる。歳月を経て深味のある色つやを獲得したこの型の机は、トスカーナ地方の旧家ならば必ずある、この地方特有の家具といってよい。

僧院の食堂で使われるオリジナルは、修道士たちが一列に並んで坐るのに都合よくできていて、横は四メートルにおよぶかわりに、たては五十センチ前後と狭い。しかし、これでは普通の家では不便なことが多く、横の長さをちぢめ、たて幅をふやした型が普及したのであった。

椅子《いす》は、ダンテスカ（ダンテ風）と呼ばれる、折りたたみ式のものであったかもしれない。折りたたみ式といっても、がんじょうな太い木が交差してできているから、ゆったりと安定している。ひじをおく横木の具合も自然で、尻と背中のあたる部分には皮革か厚地のビロードが張ってあるので、当り具合は優しく坐り心地も実によい。

ダンテ風と呼ばれるだけに十三世紀から一般的であった椅子で、これもまた、トスカーナ地方特有の家具であった。私も一度、十年ほど前に骨董《こっとう》家具の競売で見つけ、五万円ぐらいならば買おうかと思ったことがある。ただ、手をあげる準備をしていたところ、その二十倍の値からスタートしたため、あわてて手を硬直させたことを覚えている。

十六世紀前後のフィレンツェとその近郊では、大別して三つの型の椅子が使われていたが、ダンテ風を第一の型とすれば、第二の型の椅子は同じ折りたたみ可能でも十五世紀後半からの型で、サヴォナローラ風と呼ばれるものである。この型の椅子は、すべての部分が細身の木でできており、ために坐り心地も固く、木のすれ合う音がわずらわしい感じがする。外観も坐り心地もストイックであるところが、十五世紀末にフィレンツェのルネサンス風潮を非難し、神権政治を樹立しようと策した狂信的な修道士サヴォナローラと、あまりにもつながりすぎていてかえっておかしい。集会所の椅子としてならば、適していたであろう。

第三の型の椅子は、背中に当る部分がまっすぐ高くのびている型で、ひじをおく横木があるのもないのもある。ただ、この型の椅子は、少しばかりよそゆきという印象で、ために坐り心地も固い。小人数の食事や会議用ならば、ぴたりと決まる感じがする。アーサー王の円卓をかこんだ椅子は、この型以外にはありえないと思うのだが。

とまあ考察をした後では、あの時代の書斎用椅子としては、ダンテ風が最もふさわしいのではないかと思えてくる。それにこの型の椅子だと、黒と赤の毛織りの布地をふんだんに使ってつくられていた、フィレンツェ共和国政府の外交官の官服を着けて坐っても、布地の量の始末に困惑するという事態にはならなかったにちがいない。

灯りは、高い鉄の脚の上にのった鉄皿に油を満たし、それにひたした芯《しん》の先が燃える型のものであったろう。ろうそくは、高価すぎた。高価だったから、中世では点火したろうそくを神に捧《ささ》げる意味もあったのである。油が燃えるのだから、悪臭が漂わなかったはずはない。だが、この式の灯りが一般的であれば、人は自然に慣れる。現代のわれわれが感じるようなわずらわしさは、感じなかったにちがいない。それに、マキアヴェッリは、夢を見ていた。

机を前に坐ったマキアヴェッリの眼は、貧しい灯りをうけてやわらかに沈む部屋の片すみを見ているようでいて、見ていない。ときどき、眼の光が強く変ったり、皮肉な微笑が口のはしに漂ったりする。羽ペンは、机の上に放りだされたままだ。机の上においた両手であごをささえた姿勢のまま、長い時間がたつ。

と突然、この機をのがしてはもう二度と頭の中にもどってこないのを怖れるかのように、非常な勢いでペンが紙の上をすべりはじめる。当時は紙も大変に高価であったから、書き損じたからといって丸めてポイと捨てるなど、思いもできないことであった。余白もできるかぎり少なく、改行もせず、小さめの字で行間もつめて書く。書きはじめると、羽ペンをインクにひたす時間さえ惜しいくらいだ。しばらくすると、ペンの動きがとまる。再び両手にあごをあずけたかっこうで、彼が好んで使っていた言葉を借りれば、ギリビッヅァーレ、想いにふけることが再開されたからであった。

二階では、妻のマリエッタも、十歳の長男をかしらに二人の男の子と女の子一人の子供たちも、無邪気な寝息をたてていたことであろう。だが、四十四歳のフィレンツェ政府元書記官の頭の中は、まったく別のことで占められていたのであった。

四十四歳の男にとって、職を解かれるということは、どういう意味をもつのであろう。生計をたてる必要はもちろんあったが、それだけではなく就職した職場、その職場を四十四歳になって突然追われたら、どのような心境になるものであろうか。

マキアヴェッリは、二十九歳の春からこの年までの十五年間勤めてきた、フィレンツェ共和国第二書記局書記官の職が気に入っていたのである。出張経費の少なさに苦情を言いながらも、自分のしている仕事が心から好きだったのだ。それを、汚職をしたわけでもないのに、仕事に手落ちがあったわけでもないのに、突然解任されたのである。共和政体が崩れ、かわりにそれまで追放されていたメディチ家が、政権に返り咲いたからであった。

しかも、彼にふりかかった災難は、これで終ったのではない。翌年、反メディチの陰謀が発覚したおり、それに加担していたという疑いで牢獄《ろうごく》に投げこまれ、一ヵ月半の牢獄生活を強《し》いられるという不幸まで加わった。牢ぐらしが一ヵ月半ですんだのは、メディチ家のジョヴァンニ枢機卿が、レオーネ十世として法王に選出されたからである。はじめてのフィレンツェ出身の法王の誕生に、フィレンツェ人は、メディチ、反メディチのちがいも忘れて狂喜する。マキアヴェッリが出獄できたのは、罪が晴れたというわけではなく、レオーネ法王即位を祝う大赦によってであった。

だが、この災難のおかげで、書記官解任だけならばフィレンツェ市内に住みつづけることもできたマキアヴェッリも、法的な処置ではなかったとはいえ、自発的な追放生活は選ばざるをえなくなったのである。一五一三年四月、彼は家族とともに、サンタンドレア・イン・ペルクッシーナの山荘に向う。望みもしない隠遁《いんとん》を強いられたのは、四十四歳になる一ヵ月前であった。

『君主論』執筆を告げる親友ヴェットーリへの手紙は、その年の十二月十日に書かれている。「隠遁生活」は、八ヵ月目に入っていたのである。

ダンテに追放なくば『神曲』は生れず、マキアヴェッリにあの災難が降りかからなければ、『君主論』は生れなかった、と人はいう。

たしかにそうではあったろうが、当人にしてみればどんなものであろう。そうそう簡単に、不運は傑作の母であるなどとは、言ってはいられない想いではなかったろうか。

ダンテもマキアヴェッリも、二人の間には二百年の時代の開きはあるが、いずれも、寸鉄人を刺す言句の創造能力にかけては定評のある、生粋のフィレンツェっ子である。後世の人々がこんなことをいっていると知ったら、それこそ二人の口からは、後世のわれわれの身が引きしまるような言句が、ほとばしりでたにちがいない。だが、二人とも、それに類した言葉を残していない。『神曲』も『君主論』も、著者の生存中は、それらにふさわしい評価を享受《きょうじゅ》できなかったのであった。

ダンテも同じだが、マキアヴェッリも、人生を文人として出発したのではない。

もの書きとして人生を生きはじめたのならば、それが、実に孤独な生の過ごしかたであるのを、肝に銘じてわかっていたはずである。

「礼儀をわきまえた服装に身をととのえてから、古《いにしえ》の人々のいる、古《いにしえ》の宮廷に参上する。そこでは、わたしは、彼らから親切にむかえられ、あの食物、わたしだけのための、そのためにわたしは生をうけた、食物を食すのだ。そこでのわたしは、恥ずかしがりもせずに彼らと話し、彼らの行為の理由をたずねる。彼らも、人間らしさをあらわにして答えてくれる。

四時間というもの、まったくたいくつを感じない。すべての苦悩は忘れ、貧乏も怖れなくなり、死への恐怖も感じなくなる。彼らの世界に、全身全霊で移り棲んでしまうからだ」

　これが、もの書きの世界である。実《じつ》の世界に生きる人から見れば、気がふれたのではないかと思われてもしかたがないほどこっけいな、虚の世界である。

　そして、虚を実《じつ》以上のものにするのは、

「ダンテの詩句ではないが、聴いたことも、考え、そしてまとめることをしないかぎり、シェンツァ（サイエンス）とはならないから、わたしも、彼らとの対話を、『君主論』と題した小論文にまとめてみることにした」

しかないのである。そして、これで、虚の世界の住人の任務は終りだ。虚の世界の住人の提示したことをどう使うかは、または使わないかは、実《じつ》の世界の住人たちを待たねばならない。実《じつ》の世界の住人たちの、出番はここからはじまる。

しかし、虚と実《じつ》は、人によって、またときによって、微妙に交じりあう場合がある。ほんとうは、この状態が、最も理想に近い生の過ごしかたではないだろうか。少なくとも、考えることが肌になついているたぐいの人間ならば、誰もが夢見る状態ではないだろうか。

マキアヴェッリの人生は、官僚としてはじまった。この彼の前にメフィストフェレスがあらわれ、古今の傑作『君主論』と、これまでと同じ仕事をつづける官僚生活十年のどちらかを選べと迫ったら、マキアヴェッリは、ちゅうちょすることなく、十年の官僚生活を選んだであろう。おそらく、このあたりに、実《じつ》の世界から完全に足を洗って文字どおりの隠遁生活に入った人々の手になる著作と、マキアヴェッリの作品のちがいを解く鍵《かぎ》が、かくされているような気がする。

サンタンドレアの山荘は、一階の広間をぬけると、ベランダのようなつくりになった庭に出る。この庭は、家の前を通る道からすれば平行線上に位置するが、裏側から見れば、一段高くつくられている。丘陵の斜面に、山荘が建っているからだ。それで、ベランダ風の庭の下は、農作耕具から葡萄酒やオリーブ油の樽《たる》まで収容できる、物置のような役目をはたしていたにちがいない。馬や羊や豚やにわとりも、この一画で飼われていたのかもしれない。今では、そこからくだって再び向い側の丘陵に至る斜面は、一面の葡萄畑が埋めている。眺望は美しく、庭が一段と高いだけに、見晴らし台の役目もはたしていたのかもしれない。

その庭に出て、なにげなく右手の方角に眼をやった私は、胸に、鋭い刃物かなにかで突かれたような、肉体的な痛みを感じた。

フィレンツェが、見えるのである。右手の下方はるかに、サンタ・マリア・デル・フィオーレの、レンガ色に白い稜線の走る円屋根が見えるのだ。

フィレンツェを代表する教会、花の聖母寺の円屋根は、西欧ではじめてつくられたクーポラである。建築家ブルネレスキの考案にもとづいてこれが完成したのは、一四七一年五月、マキアヴェッリが二歳の年であった。マキアヴェッリが、見ながら感じながら育ったこのクーポラは、フィレンツェ共和国の誇りであり、レンガ色に白の稜線の走る優美な円屋根は、フィレンツェを訪れる人がまず最初に眼にする、花の都の目じるしでもあったのである。マキアヴェッリも、外交任務を終えて帰国する途次、いくど、アルノ河の両岸に横たわるフィレンツェの街並の間に、ひときわ高くそびえるサンタ・マリア・デル・フィオーレのクーポラを眺めたことであろう。

クーポラの下には、フィレンツェがある。物体としての都市だけでない、当時のイタリアで最も華麗な花を咲かせた、都市文明があるのだった。

当時は、国家が都市をつくるのではなく、都市が国家をつくる時代であった。都市国家とは、フィジカルな現象を表現するだけの、名称ではない。

イタリアがルネサンス運動の発生の地になりえたのは、国家が都市をつくるのではなく、都市が国家をつくるということに、古代以来、はじめて目覚めたからである。そして、フィレンツェ人は、ヴェネツィア人と並んで、この意味での都市をつくりだした民族なのであった。

海の都といわれたヴェネツィアも、花の都とたたえられたフィレンツェも、いずれも、

はじめに都市ありき

で共通している。都市が先に生れ、国家は、その都市のもつ性格の延長線上に、自

フィレンツェ中心部を南より望む

然な勢いのままにつくられたのである。マキアヴェッリは、この「都市」で、生をうけ、生れ育ち死ぬ。生粋の都市人として、生をまっとうする。

サンタンドレアの山荘の庭に立って、もやがかかっていたり曇っていたりするとたちまち見えなくなるほど遠い、しかし晴れていればいやでも見えてしまうフィレンツェを、どんな想いで眺めたことであろう。

あのクーポラの下に広がる街には、彼が十五年間通った職場がある。書記官時代の同僚たちがいる。同僚ではなかったが、マキアヴェッリの頭脳に啓発されて親しくなった、経済的社会的だけでなく、知的にも上流に属する人々がいる。共通の言語で語りあえる、真の友人たちがいるのだ。また、書記局に集まっては散っていった、数々の情報。彼も、職権によって、そのほとんどすべてに眼を通し、自らも書きおくった数々の情報。そして、フィレンツェ共和国政府派遣の使節として、彼が直接に会い、話し、交渉しあった、多くの外国のリーダーたち。

しかし、なによりも、あのクーポラの下には、独自でありながらも普遍性をそなえる文明をつくりだす都市ならば、必ずもっている「毒」、創造する者にとっては、多量に飲めば自壊するしかないが、適量ならば、これ以上の刺激剤はない、毒もあったのである。

四十四歳のマキアヴェッリは、このすべてから引き離されたのだ。フィレンツェからの十キロの距離は、単なる十キロではなく、庭から見えるサンタ・マリア・デル・フィオーレのクーポラは、単に美しい風景ではない。

肉屋と粉屋と二人のレンガ職人を相手に、小金を賭《か》けたカード遊びにうつつをぬかし、他人の存在も気にせぬ大声をあげて争い、自分はならず者になるのだというマキアヴェッリ。そうすることによって、脳にへばりついたかびをとり除き、自分に向けられた運命のいたずらに対して、怒りをたたきつける彼。自分をこのように踏みにじるのは、運命の神が、自分を苦しめるのをいまだに恥じていないかをためすためだというマキアヴェッリ。

この彼の怒りは、生計の道を絶たれただけの者が感ずる怒りとは、強さも質も、ちがうものではなかったであろうか。

人間には誰にも、その人だけがとくに必要とするなにかがあるものである。それを奪いとられたとき、それに無関心な者からすれば納得いかないほど、奪いとられた当人の怒りはすさまじい。

マキアヴェッリにも、彼にとってはとくに必要ななにかが、あったのであろう。

それを理解するかしないかが、彼その人を理解するかしないかにつながり、『君主論』をはじめとする、彼の著作にあらわれた思想を、理解できるかどうかにもつながるのではないだろうか。

サンタンドレアの山荘の庭から、花の聖母寺のクーポラが見えるのを知ったのは、十五年前の秋の一日であった。丘陵の間におかれた美しい置物のようなそれを眺めながら、私は、いずれマキアヴェッリを書こう、と決めた。そして、わが友マキアヴェッリ、という表題も、その時に決まった。

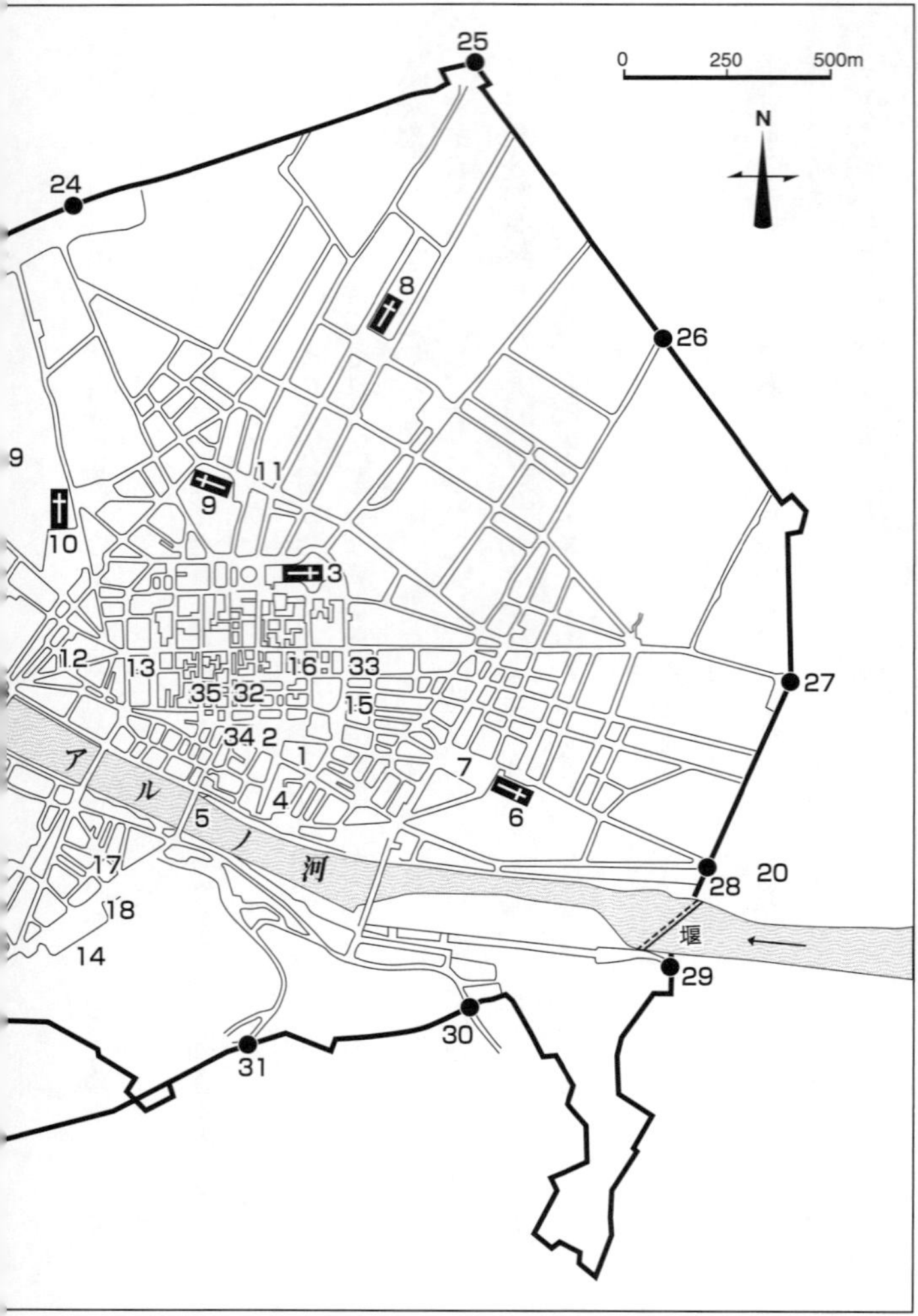
25
0
250
500m
N
24
8
26
9
11
9
10
3
12
13
16
33
27
35
32
15
34
2
1
7
ア
ル
4
6
5
ノ
17
河
28
20
18
堰
14
29
30
31

フィレンツェ市街図（15世紀後半から16世紀前半）

1 パラッツオ・ヴェッキオ
（フィレンツェ共和国政庁、現フィレンツェ市庁）
2 シニョリーア広場
3 サンタ・マリア・デル・フィオーレ
（花の聖母寺）
4 現ウフィッツィ美術館
5 ポンテ・ヴェッキオ（フィレンツェ最古の橋）
6 サンタ・クローチェ
（教会・修道院、フランチェスコ会）
7 サンタ・クローチェ広場
8 サン・マルコ（修道院、ドメニコ会）
9 サン・ロレンツォ（教会、メディチ家の墓所）
10 サンタ・マリア・ノヴェッラ
（教会・修道院、ドメニコ会）
11 メディチ宮（現トスカーナ州政庁）
12 ルチェライ宮
13 ストロッツィ宮（現催し物会場）
14 ピッティ宮（現ピッティ美術館）
15 バルジェッロ宮（現国立美術館）
16 ダンテの家
17 マキアヴェッリの家
18 グイッチャルディーニ邸
19 オリチェラーリの園
20 刑場
21 ローマ門（ローマへ向かう街道口・南門）
22 サン・フレディアーノ門
23 プラート門（ピサへ向かう街道口・西門）
24 ファエンツァ門（1534年に要塞建設開始）
25 サン・ガッロ門
（ボローニャ、ファエンツァへ向かう街道口・北門）
26 ピンティ門
27 サンタ・クローチェ門（東門）
28 裁きの門
29 サン・ニコロ門
30 サン・ミニアート門
31 サン・ジョルジョ門
32 毛織物業組合所
33 弁護士・公証人組合所
34 金融業組合所
35 旅宿・居酒屋組合所

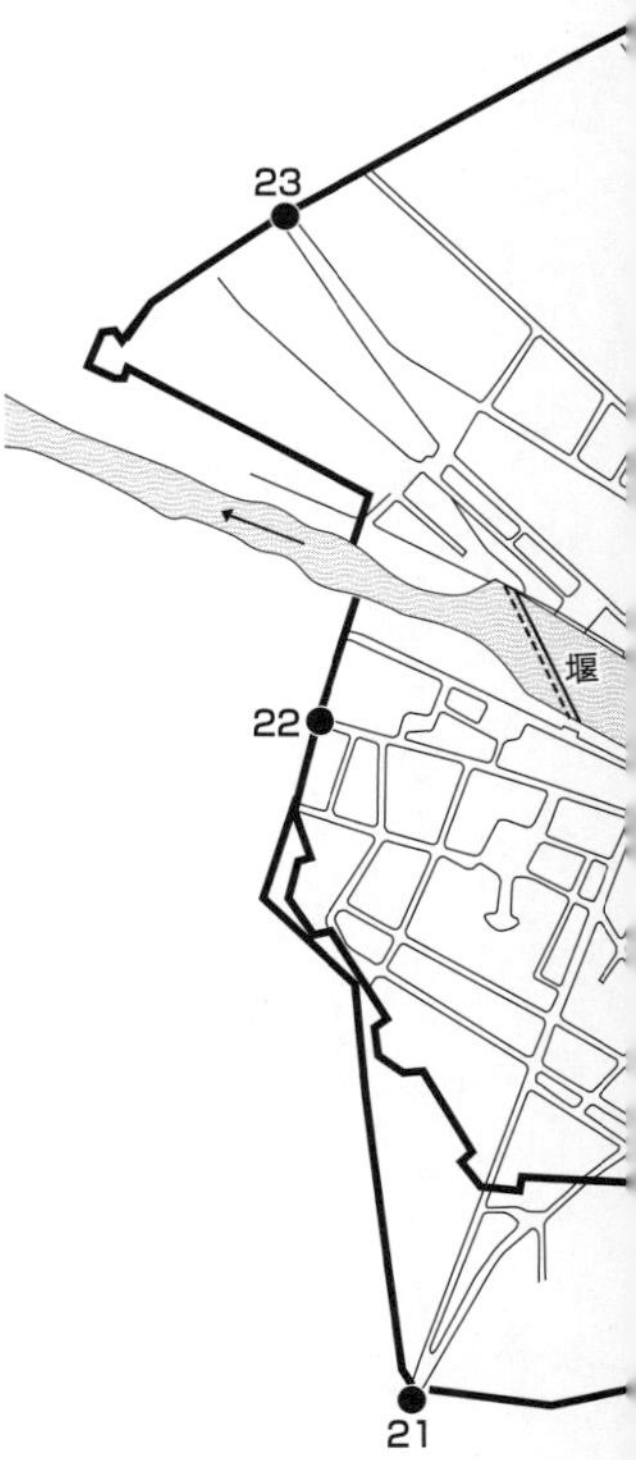

第一部　マキアヴェッリは、なにを見たか

第一章　眼をあけて生れてきた男

「ニコロ・マキアヴェッリは、眼をあけて生れてきた。ソクラテスのように、ヴォルテールのように、ガリレオのように、カントのように……」

と、ついこのあいだまで百歳を迎えながら生きていた、というよりその歳《とし》まで頭の冴《さ》えを失わなかったイタリアの作家ジュセッペ・プレッツォリーニは、『マキアヴェッリの生涯』の冒頭を、このようにはじめている。

だが、あの当時、眼をあけて生れてきた男は、マキアヴェッリ一人ではなかった。そして、後世は、あの時代のヨーロッパの他の国々を中世と呼ぶのと区別して、それと同じ時代のイタリアを、ルネサンスと呼ぶことになる。

ニコロ・マキアヴェッリは、一四六九年五月三日、フィレンツェの街中で生れた。アルノ河にかかる橋ポンテ・ヴェッキオまで一分、それを渡って街の中心シニョリーア広場までいくのに、表通りを歩いても五分とはかからない。

フィレンツェは、中央から少し南にアルノ河が流れる盆地に、古代ローマ時代に人々が住みはじめたのが起源の街だから、市壁も、河をはさんでめぐっている。その市壁を北から南まで歩いても、四、五十分とはかからないであろう。その空間に、七万の人間が生きていた。なにかが起れば、町ぐるみの反応が返ってきたはずである。

しかし、中心まで五分の距離は、どうあろうと「都心」である。そして、彼の生きた時代のフィレンツェは、「都心」が、文字どおり都市の中心であった時代であった。シニョリーア広場には、パラッツォ・ヴェッキオ（古い建物）と通称される政庁がある。その前の広場は、ほとんどいつも、フィレンツェで起る大事の舞台となった。ポンテ・ヴェッキオからこの広場までの一帯は、絹や毛織物をあつかう店や組合《アルテ》の建物が埋める。もちろん、北はロンドンから南はエジプトのアレクサンドリアにまで支店網をもつ銀行の本店も、「都心」から離れるなど考えもしなかった。政治の中心シニョリーア広場から、宗教の中心サンタ・マリア・デル・フィオーレへいくのにも、五分とはかからない。そこへの道すじとこのフィレンツェの本寺の周辺には、芸術家たちの工房も、軒を並べていたのである。

工房《ボッテーガ》は、職人の伝統に忠実に、都心では四、五階になるのが普通の建物の一階にあった。二階から上は、師匠と弟子たちが寝起きする場であるのが普通だった。台所は、火事への要心のため、最上階にあった。

一階の仕事場は、このような情況では、外界に向って開かれないではすまない。高名な親方のひきいる工房は、しばしば中庭までつながる広さで、そこでの仕事ぶりもできあがった作品も、道ゆく人は誰でも容易に眼にすることができた。芸術学校でもあったこの種の工房で働きつつ学ぶ芸術家たちは、四六時中、一般の人々の眼にさらされながら創作していたことになる。

彫刻家のドナテッロの工房も、サンタ・マリア・デル・フィオーレ前の広場にあった。この男も、北イタリアのパドヴァで傭兵《ようへい》隊長ガッタメラータの騎馬像をつくり、国外でも名声を一挙に確立したのに、フィレンツェにもどりたいという。

「あそこでは、絶えまなく悪口をいわれる。悪口は、勉強の刺激になり、結果として、より大きな名声につながる」

これが理由だった。

だが、けなされているばかりであったら、ドナテッロといえども、愛郷心を発揮してばかりもいられなかったであろう。認められることなしに、芸術は育たない。まず第一に、当時のフィレンツェ人の「悪口」は、このようなことに眼のある人間の批判であったから、刺激にもなった。わからない人の批判は、害こそあれど利にはならない。そうでなかったことは、現代にいたるまで外国からの観光客をイタリアに向わせている、あの時代につくられた作品の質と量が実証している。第二は、買い手がいたということだ。買われるということ以上の、賞讃はない。フィレンツェ芸術の見事な開花は、盛んな内需のおかげでもあった。

しかし、外国で評判になろうと自国の有力者のパトロンがつこうと関係なく、遠慮なく「悪口」を浴びせたフィレンツェ人もたくましかったが、それを受けてたつ芸術家のほうも、芸術家を装《よそお》うことだけに満足するようなシロモノではなかった。

あれほどまっとうなる言を吐いたドナテッロにも、次のようなエピソードが残っている。

ある時、ジェノヴァの一商人が、ドナテッロにブロンズの頭部像を注文した。仲介をしたのは、メディチ家の当主で、当時のフィレンツェの事実上の支配者でもあり、ドナテッロのパトロンでもあったコシモである。ブロンズ像は、見事に完成した。商人も、満足のようだった。ただ、ジェノヴァ商人にしてみれば、ドナテッロの要求した制作代が、非常識に思えたのである。ブロンズ像制作に要した期間は、一ヵ月かそれに少し足した期間にすぎない。一日分の労賃を半フィオリーノとしても、高すぎる、というわけである。怒ったドナテッロは、

「おまえなどは、彫像を商うよりも、豆でも商っているほうがふさわしい」

といって、つくりあげたばかりの像を窓から投げ捨てた。道路にたたきつけられた像は、ひしゃげたブロンズのかたまりと化してしまった。後悔したジェノヴァ人は、言い値の二倍だすからもう一度つくってくれという。だが、ドナテッロは、もう耳を藉《か》さなかった。コシモ・デ・メディチが勧めても無駄だった。

ドナテッロとともに十五世紀前半のフィレンツェ芸術を支配したブルネレスキにも、この種のエピソードは不足しない。

フィレンツェ第一の教会であるサンタ・マリア・デル・フィオーレの円屋根を、ブルネレスキの考えたプロジェクトに沿って建設することには決まったのだが、あまりにもブルネレスキの案が建築技術上革命的なために、スポンサーであった毛織物組合《アルテ・デッラ・ラーナ》としては恐しくなってしまった。それで、建設作業の共同監督として、ブルネレスキの大胆さのブレーキ役としてが本音だったのだが、高名な彫刻家であり

建築家でもあったギベルティと、その他にもう一人を、ブルネレスキにつけることに決めたのである。

それが、ブルネレスキには気に入らない。共同監督など、望みも要請もしなかったのだ。さて、一大事業とて鳴りもの入りで作業が開始されたのだが、ブルネレスキは、病気と称して出てこない。二人の共同監督たちは困ってしまったが、ブルネレスキ不在のまま日が重なるだけだった。二人の共同監督は、二人ではこの仕事を進めることは不可能だと、毛織物組合に伝える。組合の幹部としては、ブルネレスキの案を廃して別のプロジェクトでクーポラ建設を進めるか、それとも、ブルネレスキの好きなようにやらせるかの、選択を迫られることになった。長時間の話し合いの末ついに、組合の代表がブルネレスキの家にいき、建設作業を指揮する監督は、彼一人とすると伝えたのである。翌朝、なにごとも起らなかったかのようなすました顔をしたブルネレスキが、建設現場に姿をあらわしたのはいうまでもない。

ブルネレスキが死んだのは、マキアヴェッリの生れる二十三年前である。長生きだったドナテッロも、三年前には世を去っていた。しかし、彼らは、山の頂上のような存在である。すそ野は、豊かに広がっていた。それに、頂上が去れば、別の頂上がそびえ立つ。ボッティチェッリ、レオナルド・ダ・ヴィンチを擁するヴェロッキオ工房と、それとライヴァル関係にあったポライウォーロの工房がフィレンツェっ子の注目を集めれば、しばらくして、ギルランダイオ工房には、気の強さでもフィレンツェの芸術家たちの伝統に忠実な、若いミケランジェロの学び働く姿が見られたことであろう。

芸術の面に簡単に照明をあてただけでも、これである。マキアヴェッリは、このフィレンツェに生れ、育った。

家は、シニョリーア広場のほうから行くとすると、ポンテ・ヴェッキオを渡って、そこからピッティ宮に向う通りを中ほどまできた右側にあった。この通りは、この一帯の有力者グイッチャルディーニの屋敷があったことから、マキアヴェッリの時代から、グイッチャルディーニ通りと呼ばれていた。マキアヴェッリの家の現在の番地は、ヴィア・グイッチャルディーニ十八番地である。

ただし、家は今では残っていない。十八番地の建物は、扉のない入口を入ると奥のほうに店がいくつかあって、二階から上は、事務所や住居に使われているのだが、入口を入ってすぐ右側のかもいの位置に、まわりの新建築とはよそ者のような感じで、一辺が四十センチはあろうと思われる古い角材がのっている。

「この梁《はり》は、一九四四年の破壊の直後に発見されたもので、マキアヴェッリの家に使われていたものである」

こう説明のついた古い角材は、入口をずっと入ったところにもう一つあるが、この二本の梁が、マキアヴェッリの住まいの唯一《ゆいいつ》の名残りである。まったく普通の、当時のフィレンツェではどこにでも見られる家であったことはわかっているのだが、それにしても、少なくとも一九四四年までは存在していたのだ。

第二次大戦当時のイタリアは、シチリアに上陸した連合軍と後退をつづけるドイツ軍が、イタリア半島を南から北に戦線を移動していったのは、ロッセリーニ監督の映画『戦火のかなた』に描写されているとおりだが、フィレンツェも一時、アルノ河の北と南に分れて戦火を交じえた時期があった。ドイツ軍は、ポンテ・ヴェッキオ以外のすべての橋を爆破したが、両軍とも、アルノ河一帯の建物のうち、史的芸術的価値があまり高くないとした建物の破壊には、さして神経を払わなかったようである。反対に、ピッティ宮はもちろんのこと、マキアヴェッリの家からは五、六十歩の距離にあるグイッチャルディーニの家も、無傷で残った。

このようなわけで、マキアヴェッリの生れ育ち死んだ家は、今では見ることはできない。ガリレオの家もミケランジェロの家も残っている。また、マキアヴェッリの後半生の心からの友であり、歴史家としてはライヴァルでもあったフランチェスコ・グイッチャルディーニの家は、すばらしい建造物であったがために、戦火をのがれることができた。しかし、レオナルド・ダ・ヴィンチの住まいもどこかわからないのだから、家など史蹟にされないほうが名誉なのかもしれない。

戦略的価値を優先してもさしつかえのない程度の家に生れたのは、父親のベルナルドが、流行《はや》らない法律顧問であったからである。母親のバルトロメアは、若くして未亡人になったのがマキアヴェッリの父と再婚したのだが、フィレンツェの旧家ネーリの一族だった。宗教詩にしろ、詩など少しはモノしたようである。父三十八歳、母二十九歳の子だった。五歳と二歳ちがいの、二人の姉がいる。五年遅れて、弟が一人生れた。

マキアヴェッリの家系は、もとをたどれば、トスカーナ地方の一小村に発するらしいが、相当に以前からフィレンツェに移り住んで、完全な都市生活者になっていた。田舎の農園つきの家は所有しつづけたが、生活の本拠はあくまでも都市にある。ただ、海を渡ってでなければ田園に接することのできないヴェネツィア人が、ほんのひとにぎりの中庭でも緑で埋めようとしたのに対して、市壁を一歩出れば丘陵の重なりあう自然を満喫できるフィレンツェ人は、街中の家の中庭を、石だたみにしておくぜいたくができた。フィレンツェの街中に計画的に緑地帯がもうけられるようになるのは、フィレンツェが都市国家の中心であった共和政が崩壊し、トスカーナ大公国の首都でしかなくなった、十六世紀後半になってからである。マキアヴェッリの少年時代には、だから、ピッティ宮の裏に広がるボボリ庭園も、後にヴェルサイユ宮の庭がまねするようなととのった庭ではなく、ただの緑地が広がるだけだった。少年の遊び場には、好適であったにちがいない。

ただし、ピッティ宮は、すでに存在したというよりも、建ったばかりの新鮮さと豪華さで、周辺を圧倒していたであろう。ストロッツィやメディチと並ぶ大商人ルカ・ピッティが、ブルネレスキに設計を依頼し、それが完成したのが、マキアヴェッリの生れる三年前である。ちなみに、ミケロッツォの設計したメディチ宮の完成は、マキアヴェッリの生れた年を基準にすれば九年前、ストロッツィ宮は、二十八歳の年であった。これに、レオン・バッティスタ・アルベルティ設計のルチェライ宮を加えた四つのパラッツォが、十五世紀フィレンツェ建築の四大傑作とされていて、もちろん、連合軍もドイツ軍も指ひとつふれていない。

このピッティ宮前の広場からポンテ・ヴェッキオまでがグイッチャルディーニ通りで、グイッチャルディーニの屋敷のある側と道をへだてて向いあう、つまりマキアヴェッリの家のある側は、当時から家の建てこむ一帯だった。まるで、塔が林立していた十三世紀のフィレンツェの名残りでもあるかのように、法律で決められた五メートル二十五センチの幅をもつ家が、四階や五階まである高さでひしめいていたのであろう。奥行きは、採光の必要から考えだされた中庭をもつのが普通であったために、相当に深かったと思われる。一階は、店か工房に使われ、その右側に一メートルほどの幅で開かれた扉によって、二階から上に通じていた。それがために、玄関の扉を開けるとすぐに、階段が眼の前にあらわれるつくりになっている。もちろん、有力者や金持の家は、一階を店や工房に使わせたりはしない。日本でいわれるゲタばきアパートは、当時のフィレンツェでは、中流から下の階級のものであった。

マキアヴェッリが絶対に眼にしなかったものが、この通りには三つある。

一つは、観光客と彼らめあての店の洪水である。現代のヴィア・グイッチャルディーニは、観光一色に染まっている。フィレンツェ最大の美術館であるウフィッツィとピッティが、戦火さえも遠慮したポンテ・ヴェッキオをはさんであるからだ。

これほどの観光コース中にあるのだから、マキアヴェッリの家の跡も、石塔かなにかに、マキアヴェッリ生家跡、とか刻んで立ててはどうかと思うが、そういうものはない。梁二本では気がひけるのか、それともフィレンツェでは、史蹟なるものがありすぎるからなのか。

第二は、ウフィッツィから発し、アルノ河ぞいにポンテ・ヴェッキオまでたどり、ポンテ・ヴェッキオに建ち並ぶ店の上を通り、橋が終った後もその近くにあるサンタ・フェリチタ教会の正面を横ぎり、それからはグイッチャルディーニ通りにある家々の裏側を通って、ピッティ宮にいたる回廊である。両側に鉄格子《てつごうし》つきの小さな窓が並ぶこの回廊は、トスカーナ大公としてフィレンツェの支配者に復帰したメディチ家が、大公の公邸となったパラッツォ・ヴェッキオから、ピッティ家より買いとって私邸のようにし、マキアヴェッリの時代のものよりは大幅に拡張したピッティ宮まで、人々の眼にふれないでも行き来できるようにとつくらせたのである。できあがったのは、マキアヴェッリの死の半世紀後である。

マキアヴェッリは、民衆とふれあうのを当然と思い、またそれを好んでいたメディチ家の時代に、生きたのであった。

第三は、ポンテ・ヴェッキオの変容である。グイッチャルディーニ通りではないが、この通りの起点にあたり、家から一分の距離のこの橋を、マキアヴェッリは、一日に何度となく渡ったにちがいない。この橋の変容も、フィレンツェ共和政の壊滅と軌を一にする。

ポンテ・ヴェッキオ（古い橋）は、その名のとおりフィレンツェでは最も早くつくられた橋だが、古代ローマ時代から中世の間ずっと、橋脚だけが石造で、その上に渡した部分は木造という時代が長くつづいた。一一七七年まで、これであったのである。橋の幅だけは、古代ローマ時代が起源の橋の常で、二車線の車道と両側の歩道があったから広かった。だがこれも、一一七七年になって、オール石造の橋につくりかえられた。ただ、人々の足のふれる部分は、ローマ時代のような敷石ではなく、中世後期の舗装のやり方にのっとって、赤レンガを敷きつめたものだった。

ところがこれが、一三三三年の大洪水の折りに、完全に流されてしまう。三つのアーチ型の橋脚にささえられ、がんじょうで橋幅も広く、舗装もローマ式にもどって石を敷きつめた橋がかかったのは、一三四五年になってからである。この時に、橋の両側に店が立ち並び、中央部だけ空間を残して人々の眺望に供する型の、橋がつくられて現在に至っている。

だが、橋の上に立ち並ぶ店は、それがつくられてから二百年の間、肉屋が使っていた。

当時は牛肉はあまり食しなかったから、肉屋の店頭に並ぶ商品は、羊やにわとりや鳩《はと》やきじやほろほろ鳥が多かったであろう。うさぎも並んでいたはずだ。豚は、生ハムやサラミに加工して食することが多く、生で売る場合も、豚肉専門店で商うのが普通だった。

それにしても、当時のポンテ・ヴェッキオの上は、喧噪《けんそう》をきわめていたにちがいない。肉屋が何軒も両側に並んでいて、活気に満ちていないほうが不自然である。それに、店頭を飾る肉も、どこの部分の肉かわからないようには、こまかく切られていない。牛や豚肉ですら、どこの部分の肉か一見してわかる程度にしか解体されていない。それ以上の細分化は、客の求めに応じてなされるのである。羊も、皮をはがれた姿のままでぶらさがっているし、にわとりは生きてコケッコッコといっているし、きじも鳩もほろほろ鳥も、羽毛さえむしりとられていない遺骸《いがい》のままつるされている。店の前の道路も、汚れを洗い流す水のために、やわらかい皮製の靴では、汚れ水を避けて通り抜けるのも、慣れない人には困惑ものであったろう。店の奥では、解体作業中にでる不要な骨など、背後の河に投げ捨てて平気だ。なにしろ、ポンテ・ヴェッキオの上流には、市壁を出たすぐのところに刑場があり、そこで処刑された者の分断された四肢も、アルノ河に投げ捨てられるのが習慣であったからである。

このようなポンテ・ヴェッキオでは外聞が悪いと考えたのが、トスカーナ大公になったメディチ家だ。公邸と私邸をつなぐ回廊も、ポンテ・ヴェッキオの上を通らせるしかない。渡り廊下の下に展開される光景が肉屋では、息女をフランス王に嫁がせるようになった大公メディチにとっては、具合が悪かったのであろう。肉屋は移転を強制され、そのあとに、貴金属製品を商う店が移ってきた。そして、この形のまま、現代に至っている。

しかし、肉屋か宝飾店かのちがいはおくとしても、ヴェネツィアのリアルト橋もそうだが、橋の上に店の建ち並ぶつくりは、都市国家時代の都市のもつ意味を想わせて興味深い。

一度でもポンテ・ヴェッキオを渡ったことのある人ならば同感してくれると思うが、

両側の店に眼をとられて歩いていると、河の上に渡された橋を渡っていることを忘れてしまう。水の上にいることを、忘れてしまう。忘れているうちに、対岸に着いているのだ。つまり、河が街を二分していることなど、気にしなくなってしまうのである。橋の上からの眺めを賞《め》でたい人には、中央にちゃんと、そのための場所がある。そういうことには興味のない、橋を渡ることが生活の一部になっている人は、橋を渡っていることを意識しないで橋を渡ることができる。

この意味ならば、ポンテ・ヴェッキオは、タイコ橋状のリアルト橋よりも、理想的にできている。ヴェネツィアでは、ゴンドラを駆使できたし、都市自体が海の上に浮んでいるのだから、フィレンツェのアルノ河にあたる大運河も、街を二分するほどの意味はもたなかったのであろう。

しかし、ヴェネツィアとちがってフィレンツェは、背後に土地がなかったわけでもないのになぜ、わざわざ河向う、つまりマキアヴェッリの家のある南側にまで都市づくりを広げなければならなかったのか、と思われるかもしれない。

実際、ローマ人が建設した当時のフィレンツェは、アルノ河にくっついてだが、河の北側に集中していた。それが、時代がたつにしたがってますます北に広がったのが第二期、アルノ河までかかえこんで南にまで広がったのが、中世も半ばの第三期である。だが、アルノ河をかかえこむことによって、フィレンツェは、住み心地のよい都市に変ったのだと思う。街中を河が流れているということは、そこに住まう人々に、言葉では表現しようもないほどの安らぎを与えるからである。

そのうえ、中世のフィレンツェ人は、この河を、さらさらと水の流れる渓流のままで放置しなかった。上流と下流の二ヵ所でせき止め、街中での流れを、ゆったりとおだやかなものに変えたのである。それも、相当に早い時期からだ。おそらく、ポンテ・ヴェッキオが現在の形になった、十四世紀前半であったと思う。

洪水の怖《おそ》れから、のがれるためもあったろう。渇水《かっすい》期の、対策もあったかもしれない。しかし、当時のフィレンツェ人が意識したかしないかはわからないが、結果は、ハードな面での対策がソフトな効果までもたらす好例となった。おだやかな流れのアルノ河は、街を二分するどころか、良い効果だけは残しながら、人間の住まう都市としてまとめあげたのである。

試しに、ポンテ・ヴェッキオのすぐ下流にかかる橋、聖《サンタ》トリニタの橋の上に立ってみられるとよい。水面に映るポンテ・ヴェッキオの橋も両岸の家々も、まるで湖面に影をおとしているかのように動かない。河面《かわも》に映っているとは思えないほどに、静かな情景をつくりだしている。

　ヴェネツィアを流れる運河も、さらさらと流れの早い渓流ではない。流れているのかいないのかわからないほど、ゆったりとしている。それでいて、住まう人の心に安らぎを与える、水にはかこまれている。あの街を網の目のように走る運河がみな渓流型であったら、水は清らかさを保てるかもしれないが、都市を一つにまとめることからは完全にはずれていたであろう。

　海であろうと河川であろうと、水はあるにこしたことはない。ただ、その水の処理しだいで、都市が、人間のものになるかならないかが分れるのだと思う。フィレンツエも、ヴェネツィアほどは積極的に水を利用する必要はなかったにせよ、水の処理をあやまたなかった点では同じなのであった。

　マキアヴェッリも、トリニタの橋《ポンテ・デイ・トリニタ》近くの小学校に通っていた頃から、パラッツォ・ヴェッキオ内の職場に通う時期を通じてずっと、アルノ河を一日に何度となく渡っていたのである。その彼の書いたものの中には、一語として、「河を渡る」という意味さえ漂わせるものはない。

　それに、橋の上に建築物が建ち並ぶのは、マキアヴェッリの生きていた時代では、ポンテ・ヴェッキオだけではなかった。この橋のもう一つ上流にかかる橋、ポンテ・アレ・グラッツィエの上には、小さな礼拝堂や修道僧の棲《す》むほこらが、十以上も建ち並んでいたのである。グラッツィエ（神への感謝）という橋の名も、これに由来している。

そして、橋の上にまで店や礼拝堂を並べるのは、限られた土地の活用のみを考えて実行された、アイディアではない。当時のフィレンツェはまだ、都市内にわざわざ緑地帯をもうける必要もないほど、市壁近くの土地は遊んでいた。

フィレンツェは、アルノ河を、都市空間の中に完全に取りこんでいたのである。

「わたしは、貧しく生れた。だから、楽しむよりも先に、苦労することを覚えた」と、後年マキアヴェッリは書いている。以前の私はたちまち同情したものだが、この頃ではそれほどでもなくなっている。なぜなら、貧富とは、しばしば、客観的な基準によるよりも、主観的なものによるのではないかと思うからである。

流行らない法律顧問であったマキアヴェッリの父親だが、彼の一年だけの収入ならばわかっている。それによると、百十フィオリーノに十四ソルドなのである。これは、インフレがほとんどゼロであった当時、同じ時代のヴェネツィアでは、国営造船所の技師長や商船の船長の年収が、百ドゥカートだ。フィオリーノはフィレンツェ共和国の金貨で、ドゥカートはヴェネツィア共和国の金貨の名称だが、金の含有量がほとんど同じことからも、価値も同じであったと考えてよい。ヴェネツィアのエンジニアには官舎があり、船長は貿易もしてよいことになっていたから、実収入はこれより上であったにちがいないが、熟練職人の年収は、五十ドゥカートであった。家賃を除けば、小人数の家族が一年暮らしていくのに、十五から二十五ドゥカートあればまずはやっていけたという時代である。

ドナテッロが、ブロンズの制作代を一ヵ月につき十五フィオリーノと査定されてカッと怒ったのは、彼がすでに名ある芸術家であったからだが、まだそれほど名のなかった二十四歳当時のミケランジェロも、今ではヴァティカンの至宝になっている『ピエタ』の大理石像をつくった時、依頼主であった枢機卿は、ミケランジェロの言い値に、高すぎる、と文句をつけたのだ。その言い値が、百五十ドゥカートである。若いミケランジェロは、高すぎるといわれても大理石像を破壊しなかったから、今日のわれわれでも鑑賞できるわけだが、その代わりに平然と言いかえした。

「とくをするのは、あなたです」

芸術作品でも、この程度の金額で高すぎる、といわれた時代である。十六世紀に入るが、ヨーロッパ最高の画家といわれ、皇帝をはじめ各国の王侯たちからの肖像画制作の依頼が絶えなかったヴェネツィアの画家ティツィアーノでも、一枚の絵の値段は二百ドゥカートだった。

百十フィオリーノの年収は貧しい階級のものではない。富裕な階級では絶対になかったが、フィレンツェでは「ポポロ・ミヌート」と呼ばれた、庶民階級の暮らしではない。中流に属した、とするほうが適当であろう。要するに、貧しいという言葉の意味が、マキアヴェッリでは使われかたがちがったと思うべきではないだろうか。

実際、父ベルナルドの書き残した記録には、貧困を嘆いた箇所はどこにもない。病気で収入が減ったというのは史実としても残っているが、彼自身が貧しさを嘆いた言葉はない。マキアヴェッリの父親は流行《はや》らない法律顧問でも、農園からの収入とあわせたにしても、自分が享受《きょうじゅ》できる範囲でつつましく生きることのできる型の、人物ではなかったかと思われる。

反対にその子のマキアヴェッリは、上昇意識には無縁であったが、仕事の関係で王侯たちと知りあう機会も多く、フィレンツェの中でも、彼と知的に同等な水準をもつ人と付きあおうとすれば、自然に上流階級に属す人々にならざるをえなかったのであった。

父親のベルナルドは、また、職業上での満足はさほど得られなくても、私生活では満足を得るタイプの人物でもあったようである。彼の趣味は、というより生きがいであったかもしれないが、書籍だった。

この愛書家の書き残した「蔵書目録」は、感動的でさえある。

印刷技術が発明されたのは、グーテンベルグを思いだすまでもなくドイツだが、他人の発明をたちまち企業化する才能では他にぬきんでていたヴェネツィアが、当時の西欧第一の出版王国になるのは、一四九〇年前後からである。一四九五年から九七年にかけて、全ヨーロッパで一八二一点の書物が刊行されたが、そのうちの四四七点が、ヴェネツィアで出版されている。第二位のパリは一八一点、フィレンツェは、四〇点余りしかない。

ところが、マキアヴェッリの父親が本を買っていた時期は、これより二十五年は前なのだ。その時期、つまり一四七一年から七六年までの五年間、ヴェネツィアではもっと多かったが、フィレンツェでの刊行点数は、わずかに五点である。

そして、その時期の書籍の値段だが、いかに印刷本は手写本より格段に安くなったとはいっても、書物の値段は、使用する紙の代金と印刷する部数に無縁ではいられない。著者への稿料のほうは、古典ならば払う必要はないし、現代作家でも、できあがった本を何部かタダであげる、という支払方式であったようだから考えなくてもよいのだが、制作の実費と部数は無視できない。

実費がどれだけであったのかはなんとも不明なのだが、部数のほうは追跡可能である。一四九〇年以後のヴェネツィアでは、四〇〇部から五〇〇部が平均しての部数である。しかし、それ以前は、初版数一〇〇部というのが普通だった。例外は、この時代でも聖書で、一〇〇〇部である。

この情況下では、本の値段を低く押えることは、企業として無理である。そして、この時代の出版の隆盛は、営利企業としても充分に成りたつことを実証したところにあったから、書籍の値段は、需要度の低さもあって、現代からすればひどく高かった。

最も高い本は法律関係の書物で、一冊、四から五フィオリーノはした。次は、哲学歴史を問わない古典もので、三から四フィオリーノである。ダンテやペトラルカのような「近代文学」は、二フィオリーノが平均値だった。

アリストテレスの『倫理学』は、中流階級の年収の百分の三はしたのである。年収を仮に五百万円とすれば、一冊買うとしても十五万円必要であったということになる。

このような時代、流行らない法律顧問の蔵書は、二〇点を越えた。何巻にもおよぶものも中にはあるから、冊数ならば、四〇冊はあったであろう。日本人になじみのある書名と著者名だけをあげても、次のようになる。

アリストテレスの『倫理学』、これは、解説つきとないのとで二部

プトレマイオスの『天文学』

キケロの『弁論集』

プリニウスの『博物誌』

ティトゥス・リヴィウスの『ローマ史』

『旧約聖書』も『新約聖書』も持っていたろうが、これらは一応の家ならばどの家庭にもあったから、目録には加えられなかったのかもしれない。文学関係では、ダンテがあった。他には、家の女たちのためか、絵入りの『歴史』もある。それ以外は、古典、近代ともに、法律関係の書物が多い。

これらを何年かけて集めたのかわからないが、一冊でも年収の百分の三から四の出費では、購入も慎重にならざるをえなかったであろう。くり返して読むうちに表紙が

いためば、製本にだして、表紙を新しくしてまた読んだのであろう。

しかし、これによってマキアヴェッリの父親が、特別にインテリであったということにはならない。当時の知識人には、これ以上の書物をもっている者は多かった。だが、彼らは、西欧第一の財閥であったメディチ家は別にしても、フィレンツェの名家の出身である。家だって、五百年後の戦火が遠慮するぐらいのものには住んでいた。そして、当時の絵画のどれを見ても、書棚が本で埋まっている光景を描いたものは一つもない。

また、蔵書は、それだけを読んで一生をおくったわけではない。友人間での貸し借りも、あったであろう。事実、マキアヴェッリの父親の記録の中に、貸し中と書いた一冊も入っている。それに、当時のフィレンツェには、公開の「図書館」もあった。専用の建物に収められていたわけではないが、本好きのメディチ家のコシモが、本代など気にせずに集めた書物を、望む者は読むことができたという。コシモ自身は、サン・マルコ修道院内に図書館をつくるつもりでいたが、実現しない前に死んだ。その孫のロレンツォがまた書籍購入に熱心であったために蔵書は増えつづけ、ロレンツォはまじめに、近代的な意味の図書館建設を考える。彼の死後ミケランジェロの設計をもとに完成したメディチ家の蔵書が中心の図書館は、だから今日でも、ロレンツォの図書館という意味で、ビブリオテーカ・ラウレンツィアーナと呼ばれている。

マキアヴェッリの父親のつましい蔵書は、五百年後の今日、一冊も残っていない。しかし、誇りのほうもつつましく表現したこの簡単な蔵書目録は、五百年後のわれわれにも、多くのことを考えさせるヒントを与えてくれる。その最後は、「蔵書」の内容であろう。

ほとんどが、古典で占められている。そして、宗教書が、一冊もない。これは、どういう意味をもつのであろうか。

マキアヴェッリの父親は、一介の市井《しせい》の人として一生をおくった。だが、ルネサンス文明をつくりだした、フィレンツェの市井人としてである。ルネサンスは、古代を復興することによってはじまったのだ。古代復興熱を皮肉った人に、アンジェロ・ポリツィアーノが答えた言葉というのが残っている。

「きみはわたしに、キケロをさんざん勉強したわたしが、キケロと少しも似ていないではないかという。だが、まずもってわたしは、キケロではない。そして、キケロを知ることによってはじめて、わたし自身を知ることができたのである」

父親の蔵書の中から一冊引きだしてきてページをめくるのが、子供の読書の第一歩である。マキアヴェッリは後に、自在に古典を引用するようになるが、その引用が必ずしも原本のままでなかったりすることがある。これは、引用の必要があって勉強した人ならば犯さないが、長年頭の中にあったものが、必要に刺激されて自然にあふれでた場合に犯しがちな誤りである。古典は彼にとって、自然環境のようなものであったのだろう。そして、読書家であった父親の蔵書に宗教書が一冊もないことも、後の彼の思想の形成に、無関係であったとは思われない。また、信心深かったといわれる母親も、詩など少しはつくった女であった。感受性の豊かさは、この母親ゆずりのものであったろうか。

物質的には貧しくても、精神的には豊かな家庭がある。マキアヴェッリの生れ育った家は、そういう種類の家庭ではなかったかと思われる。彼の書いたものの中に、育った家庭の不幸を思わせるものは一つもない。

ところが、自身ドットーレ（学士）であり、それがためにメッセールとか、それを簡略化したセルという、ミスターを語源にもどした感じの敬称をつけて呼ばれ、またそれがために、流行らないにしろ弁護士業を開業できた父親のベルナルドなのに、長男のマキアヴェッリに、大学教育を受けさせていない。

父親の『覚え書』には、マキアヴェッリは七歳の年、文法と読み書きを学びはじめ、十歳で算術に簿記、十二歳でラテン語を学びはじめたと記録されている。これは当時では、中流から上の階級の子弟としては、ごく普通の教育であった。もしも、幼少の頃からデッサンが巧みだったりすると、そのまま工房《ボッテーガ》に弟子入りさせられるから、学校にはいかない。芸術家を目指すのは、息子に絵描きになると宣言されてあわてるのが普通の現代の父親よりも、当時の「正業」についている父親にしてみれば、絶望するどころか希望をもたせる選択だったのである。内需外需ともに需要は多く、才能さえあれば王侯と対等に付きあうのも夢ではない。経済的にも、才能次第なのである。芸術は、立派な「成長産業」であった。マキアヴェッリにもしもその面の才能があったら、疑いなく、家から数分の距離に選りどり見どりの感じであった、工房入りをさせられていたであろう。だから、そのほうでは、人の眼をひくほどの才能ではなかった、と思うしかない。

それで、普通の初等中等教育を受けたわけだが、父親の『覚え書』には、これ以上の学歴は記されていないのである。

『覚え書』は、一四八七年まで記述がつづく。父ベルナルドは一五〇〇年まで生きていたのだが、それまでの十三年間、記録を書く作業を老齢のためにやめてしまったのか、それとも、書きはしたのだが紛失してしまったのかのどちらかであろう。それにしても、記録の最後の年、マキアヴェッリは十八歳になっている。高等教育機関に進ませようと思えば、当時でも、まじめに考慮すべき年齢であった。また、マキアヴェッリ自身、大学での勉学体験を思わせることを、少しも書き残していないのである。

当時、フィレンツェからはアペニン山脈を越えるだけの距離のボローニャに、世界最古の伝統豊かな大学があった。法学部が、有名な大学だ。そして、創立はボローニャ大学に先をゆずるが、教育内容の新しさではボローニャを超える名声を誇っていた、パドヴァ大学もあった。ヴェネツィア共和国が、自国内の最高学府として、内容の充実に力を入れていたからである。ここは、医学部が有名だ。この二つの有名大学とも、他国からの留学生の質と量を誇るくらいだから、自国の青年にだけ門戸を開いていたのではない。中世の大学は、現代のそれよりも格段のちがいで、教授、学生ともに「自由化」されていたのである。

また、フィレンツェから近い大学を選びたければ、ピサ大学があった。

この大学も古いのだが、一流校に列するようになるのは、一四七二年からである。マキアヴェッリ、三歳の年である。メディチ家のロレンツォが、いずれピサまで支配下におくための深謀遠慮の一つとして、フィレンツェに最高学府をおかない代わりに、ピサの大学の内容充実に力を入れた結果なのだが、マキアヴェッリに大学進学の気持があれば、家に週末に帰れる距離で実現できたはずである。

それが実現しなかったのは、マキアヴェッリの父親に、息子にそれをさせる経済的余裕がなかったからであろうか。

たしかに当時、大学進学はカネがかかった。ピサ大学に例をとっても、メディチ家の後援のおかげで教授の顔ぶれも一流がそろっていたが、学生のほうも、頭の中身というより家柄のほうで一流が多かった。メディチ家の子弟はもちろんのこと、チェーザレ・ボルジアも、卒業はしなかったが一時期通っている。

しかし、貧しい生れでも心底から学問をきわめたいと望む若者には、聖職界に入るかして、大学に進む道はいくらでもあった。そして、この時代、聖職界に身をおく者にとっての不都合は、一生正式な結婚をできないという一事だけだったのである。そのうえ、聖職の世界は、芸術家の世界と同じに、実力の世界だった。法王の地位に達するのに、出自はまったく関係ない。枢機卿などの高位聖職者になるには家柄がよければ大変有利な場合が多かったが、その枢機卿の中で有力な地位を占めるのは、あくまでも実力によった。宗教心の多少が聖職選択にほとんど無関係であった時代、聖職は、学問への欲求をカネをかけずに満足させることができ、そのうえそれが出世につながることも可能という、なかなか愉快な職業だったのである。ルネサンス精神に敏感なフィレンツェ人ベルナルド・マキアヴェッリとて、選択に際して、悩み考えこむほどのことでもなかったであろう。それなのに、息子にこの道を選ばせていない。

それならば、マキアヴェッリ自身が大学進学を望まなかったのか、という疑問がわいてくる。だが、当時の家長の権威と権限は大変に強く、若者である期間は、父親が望むことに従うのが普通だった。

これも消去するしかないとなれば、残る推測は一つしかない。青年のマキアヴェッリが、現代とはちがってほんのひとにぎりのエリートがいく当時の大学に進学させるほど、秀才ではなかったのではないかということである。少なくとも、既成の秀才のわくにはまるタイプの、才能の持主ではなかったのではないだろうか。

いずれにしても、マキアヴェッリは、「大学出」ではなかった。これは、実業や芸術関係に進むのであったら、まったく問題はなかったが、法律顧問の看板をかかげるわけにはいかない。そして、官僚にでもなろうものなら、当時でも、無視できないハンディをともなった。当時の知識人の商標の観があったギリシア語も、読めなかったのではないかというのが、現代の研究者たちの間の定説になっている。後年になってさえ、友人でもあった歴史家のバルキから、

「どちらかといえば、学問のあまりない男」

と、評された。

だが、マキアヴェッリよりは十七歳年上であったレオナルド・ダ・ヴィンチは、マキアヴェッリが若者であった頃はまだフィレンツェに住んでいたのだが、こんなことを自ら書き残している。

「わたしは、学問のない男である」

幼少の頃より工房入りして、中学校もでていない無学歴を、恥じての文ではない。文字の背後から、脈々たる自信がはいのぼってくるような、一行である。

しかし、マキアヴェッリのほうは、具合悪くも公務員になる。フィレンツェ共和国では、公職につく者はどこかの組合《アルテ》の会員であることが義務づけられていたので、マキアヴェッリも、組合《アルテ》の一員になった。「大学出」ならば、弁護士・公証人組合に入

れたろうが、そうでない彼は、葡萄酒醸造業者ならびに居酒屋経営者の組合に入る。だから、二十世紀の今日、葡萄酒をつくって売っているセリストーリ伯爵も、先祖の伝統を汚しているわけではないのである。

学校とは、教師が学生に教える型のものとはかぎらない。とくに、眼をあけて生れてきた男ならば、学校は、あらゆるところに存在する。二十九歳にしてスタートする前のマキアヴェッリは、それまでになにを見たのであろうか。なにを学んだのであろうか。

第二章　メディチ家のロレンツォ

二十年。

二人の男の生れた年に二十年のちがいがあっても、さしたる影響をもたらさない時代がある。だが、反対に、決定的なちがいとなってあらわれる時代もある。マキアヴェッリは、一四六九年に生れた。その二十年前の一四四九年には、偉大な、とか、すばらしい、とか、華麗な、とかを意味するイル・マニーフィコという敬称づきで呼ばれることになる、メディチ家のロレンツォが生れていた。

もしもマキアヴェッリが、ロレンツォ・デ・メディチと同じ年に生れ、同じ時代に生きていたならば、『君主論』は書かれなかったかもしれない。だが、マキアヴェッリは、ロレンツォ・イル・マニーフィコよりも、二十年遅れて生れる。そして、ロレンツォは四十三歳で死ぬが、その二十年後にマキアヴェッリが四十三歳になった年に、この同じフィレンツェ人は、『君主論』を書く。

ロレンツォ・デ・メディチも、眼をあけて生れてきた男の一人である。だが、彼は、マキアヴェッリの言葉を借りれば、「最大の幸福の中で死ぬ」ことができた男であった。

都市国家であるフィレンツェ共和国の独立と自由を守ることが、同じ文明圏としてのイタリアの独立と自由を守ることにつながり、またそれに専念しさえすれば、フィレンツェの独立と自由を守ることになって返ってくるという、確信をもてた時代に生きたのがロレンツォ・デ・メディチである。反対に、二十年遅れて生れてきたばかりに、マキアヴェッリは、都市国家であるフィレンツェ共和国の独立と自由を守ることが、同じ文明圏としてのイタリアの独立と自由を守ることにつながらず、またそれに専念すればするほど、フィレンツェの独立と自由を守ることになって返ってこないという、時代に生きるしかなかったのであった。

十五世紀のフィレンツェを描くのに、メディチ家を描かないで筆を進めるわけにはいかない。海の都ヴェネツィア共和国は、一個人一家族の力量《ヴィルトウ》によって国家の進路が左右されることのない体制を完成させるが、花の都では、まったく反対だった。マキアヴェッリも、ヴェネツィアとフィレンツェを比較して、性格の完全にちがう二人の人間のようだ、と書いている。

マキアヴェッリは、一五二〇年に、メディチ家出身の枢機卿でその後まもなく法王になるクレメンテ七世の依頼で『フィレンツェ史』を書くことになるが、その序文で、次のように述べている。

当初は、フィレンツェにコシモ・デ・メディチの親政が確立する一四三四年から筆を起そうと思っていたのだが、考えるうちに、フィレンツェ人の気質を明らかにするには、どうもそのずっと以前から記述をはじめる必要があるのではないかと感じたので、と、延々とローマ帝政末期にまでさかのぼって書きはじめる理由を述べているのだ。

しかし、「フィレンツェ人の気質」が最高に発揮されるのは、十三世紀から十四世紀、そして十五世紀にまたがった二百年であり、その時代は、マキアヴェッリが書こうが誰が書こうが、簡単な結論ならば一致する。つまり、ひとことで言ってしまえば、絶えまない内ゲバの歴史であった、ということになる。

現場証人でもあったダンテは、当時のフィレンツェを、痛みに耐えかねて、寝床の上で輾転《てんてん》と身体の向きを変える病人にたとえた。この時代のフィレンツェ共和国の政体の変遷《へんせん》は、一覧表でもつくらなければ頭が混乱してしまいそうなほどだ。そのたびに出る追放者の数も大変で、ダンテは自身が追放、ペトラルカは父親が追放されたので、亡命地生れ、レオン・バッティスタ・アルベルティも亡命地生れ、コシモ・デ・メディチも追放経験あり、というわけで、フィレンツェの旧家で、追放者を出したことのない家は皆無といったほうが当っているだろう。他国ならば二分裂ですむところを、フィレンツェでは、同じ期間に、二分裂しただけでは足らず四分裂するのである。

だが、内ゲバは、共同体にとってマイナスにばかり働くとはかぎらない。弱肉強食の論理が健全に発揮されれば、人材の選抜と育成に役立つ。また、その共同体内に、内ゲバに耐えうるだけの活力が充満している時代ならばかまわない。フィレンツェの都市の人口は、わかっている年度だけでも、次のように変った。

一二八〇年	八〇〇〇〇
一三〇〇年	一〇五〇〇〇
一三三八年	九〇〇〇〇
一三四〇年	七五〇〇〇
一三四八年	ペスト大流行

一三八二年　　　　　五九七四七
その後再び増大し、七万ほどになったが、
一五五二年　　　　またもこれ以下に

十三世紀から十四世紀前半のフィレンツェには、十五世紀のほぼ一・五倍の人間が、ひしめきあって生きていたのである。

有力者たちが競って建てる塔が並立し、その間を庶民階級の人々の住む建物が無秩序に埋める当時のフィレンツェは、美しい都とはとうてい呼べる街ではなかったであろう。だが、この街の銀行家の融資がなければ、イギリスやフランスの王も、戦争ひとつできなかったのである。そして、十三世紀の末から十五世紀の前半にかけて、フィレンツェは、はじめは処女のごとく終りは脱兎《だつと》のごとしという感じで、建設ブームの時代を迎え、十五世紀の後半には、花の都の名にふさわしい、美しい都市に変容をとげていくことになる。

しかし、十五世紀前半のフィレンツェは、百年前と比べて人口が半分近くに減ったという理由だけでなく、イタリアの情勢の変化からも、内ゲバのくり返しを許さない時代にきていた。三十近くあった小国は、ミラノ公国、ヴェネツィア共和国、ローマ法王庁領土、ナポリ王国、そしてフィレンツェ共和国と、この五つのうちのどれかに吸収され、吸収されなくても実質的には支配下に入り、イタリアは、五大国並立時代を迎える。フィレンツェも、他国に伍《ご》していこうと思えば、強力な統治能力をもつ政体を確立する必要に迫られていた。

しかし、ヴェネツィア共和国が、すでに百年前に個人の力量に左右されない体制をつくりあげていたのに、その同じ百年を内ゲバで過ごしたフィレンツェは、効率良い統治を重視すれば結局、個人の力量に頼る体制を選ぶしかなかったのである。だが、この実質的な君主制への移行は、フィレンツェの行き方がイタリアの大勢に合致していたので、ヴェネツィアのほうが例外であったのである。

ただし、フィレンツェはこの時代、実に都合の良い男たちに恵まれた。

マキアヴェッリは、メディチ家の男たちを、まことに簡潔に明快に、しかも適切に評している。

ジョヴァンニの、良質・善良《ボンタ》

コシモの、賢明《サピエンツァ》

ピエロの、人間性《ウマニタ》

ロレンツォの、偉大・華麗《マニフィチエンツァ》、慎重・冷静《プルデンツァ》

十三世紀の前半には、金融業者組合《カンビオ》の単なる一員でしかなかったメディチ家も、一三六〇年に生れ、一四二九年に死んだジョヴァンニの代になると、法王庁の財政運営に参加したりして、一家の経済力は急速に上昇する。おそらく当時、イタリア第一の銀行家であったろう。フィレンツェ市の政治面での活動は、一度をのぞき明らかでない。追放の経験もないところから、ひどく目立った活躍はなかったと思われる。インノチェンティ病院や聖ロレンツォ教会は、彼の寄附によって建てられた。芸術にも、関心があった。

父親の死の年四十歳であった息子のコシモは、この父親から、莫大《ばくだい》な財産と良い評判と美しきものへの愛を相続する。そして、これらすべてを、全イタリアにとどまらず、ヨーロッパの規模にまで拡大したのが彼であった。

だが、時代が要求したのか、それともコシモ自身の失策によるものか、彼は、父の死の四年後、追放を経験している。ルッカとの戦争に関して、アルビツィ家のリナルドと対立したのが発端だった。

結局、この権力闘争は、コシモの逮捕につながる。宣告された刑は、死だった。しかし、逮捕した側は、彼をただちに死に処すよりも、牢獄《ろうごく》につないでおいて、メディチ家が完全に瓦解《がかい》するほうを選ぶ。メディチの享受《きょうじゅ》していた市民の人気を考えて、慎重にふるまおうと思ったのであろう。だが、敵の慎重さが、コシモを救った。

フィレンツェの有力者の中でも幾人かが、まず援助を申し入れる。ヴェネツィア共和国やフェラーラ公も、刑の軽減を勧めてくる。コシモ自身も、財力を駆使して、フィレンツェ内外ともに「根まわし」を忘れなかった。結果はまずは満足すべきもので、向う十年間メディチ家の男たちは公職追放、コシモはその間、パドヴァへ追放と決まった。

コシモ・デ・メディチの追放生活は、他人のパンは塩からい、と嘆いたダンテのものとは、さすがにちがった。はじめはヴェネツィア領のパドヴァにいたのだが、まもなくヴェネツィアへ行ったコシモは、ヴェネツィア政府から、まるで国賓のような待遇を受ける。各地に支店をもつメディチ銀行の総帥《そうすい》なれば、資金に不足することもなく、反対にヴェネツィアの戦費を用立てしたりし、気に入りの建築家ミケロッツィを伴っての追放生活。ミケロッツィには、聖ジョルジョ図書館を建てさせる。同時に、フィレンツェの情勢を、外にいて操作することも忘れない。結果は、わずか一年の追放を経験しただけで、フィレンツェ政府に乞《こ》われて帰国したのだった。反対に、反メディチの筆頭だったリナルド・デリ・アルビッツィは、永久追放の刑を受けて、国外に去る。コシモ、四十五歳の年のことであった。

本格的なコシモの「親政」がはじまるのは、この年、一四三四年からである。また、この年で、フィレンツェ共和国も、有力者の追放で彩《いろど》られた内ゲバの時代は終った。

一四三四年から、死の年の一四六四年までの三十年間、コシモは、文字どおりの賢明さで、フィレンツェを治めていくのである。彼は、フィレンツェ人をよく理解していた。

フィレンツェ人が、自らを傷つけかねないほどの強烈な批判精神の持主であること。それがために、多くの才能では他国人を圧倒していながら、団結と協調の精神にだけは欠けること。そして、共和国と称しながらフィレンツェが、一三七八年のチョンピの乱以後の四年をのぞけば、実質的には常に寡頭《かとう》政であったのに、市民は、自分たちも参加できる民主政を、輝かしい政体と信じていること。

真に根づいた民主政は輝くものではけっしてないのだが、そういうことは、主義主張に眼を曇らされずに見ることのできる人にしかわからないものなのである。それもあって、フィレンツェ人は、自由《リベルタ》という言葉が大好きだった。戦争のための委員会も、戦争と自由のための委員会、とつけるほどに。しかし、自由を守るには実に賢明で地味な努力が必要であることを理解し実行するのは、好きではなかったのである。

このような気質をもつ国民が相手では、コシモは、寡頭政は適切でないと判断したのであろう。寡頭政治が巧妙に運用されているヴェネツィア共和国を知っているだけに、フィレンツェには適さないと思ったにちがいない。彼がはじめたのは、僭主《せんしゅ》政である。実質的には君主政だが、フィレンツェのような国では、君主は陰にかくれていたほうがよい。共和政体を保ちながら統治していく。コシモの賢明さは、ここにあった。そして、それは実に周到に発揮された。

フィレンツェ共和国の最高位は、直訳すると「正義の旗手《ゴンファロニエレ・ディ・ジュスティツィア》」となる、いってみれば一年任期の大統領である。これにコシモは、三度しかなっていない。一四三四年、一四三八年、一四四五年である。これは、同じ期間に「大統領」になったフィレンツェの他の有力者の回数を、越えるものではない。ルカ・ピッティも三度なっているし、他の三人にいたっては、五度である。内政では、すべてがこの調子で進められた。

しかし、外政では、コシモはほとんど君主のように行動する。それは、ヴェネツィアをのぞけば、ミラノもナポリも法王庁も、そしてフランスもドイツの神聖ローマ帝国も君主政であったから、要心の必要もなかったのであろう。他国も、明らかにコシモを交渉相手にしていた。

コシモの外政面での功績は、イタリアの国々の間に、勢力均衡政策をうちたてたことであろう。これは、一四五三年に起った、コンスタンティノープル陥落にはじまるトルコの攻勢の前に、イタリア諸国が団結の必要を感じたのが端緒となった。だが、結果としても、イタリアは平和を享受することができたわけである。コシモは、経済上の能力にも秀《ひい》でていて、メディチ銀行は、西欧有数の財閥になる。

しかし、コシモ・デ・メディチが、後世にまで広く名を残すことができたのは、彼が育成した学問芸術のためであったろう。この男くらい、なんでも集めさせ、なんでもつくらせたパトロンはいない。彼は、こう言っている。

「わたしは、この都市の気分を知っている。われわれメディチが追い出されるまでに、五十年とは要しないであろう。だが、モノは残る」

残したのは、建造物や絵画彫刻や古写本などのモノだけではない。アカデミア・プラトニカ（プラトン・アカデミー）と呼ばれる古典研究の中心を、フィレンツェに創立したのも彼である。ビザンチン帝国の命運もこれまでと知ったギリシア人の学者たちが、フィレンツェのメディチを頼れば歓迎してくれると、コンスタンティノープルを次々と後にしたのである。ヴェネツィアとフィレンツェは、彼らの期待を裏切らなかった。だが、どちらかといえばフィレンツェのほうが派手で、古典研究のメッカの印象が強かった。出版界が主導権をにぎっていたヴェネツィアとちがって、フィレンツェは、シンポジウム活動に重点が置かれていたからである。メディチの別荘が、会場だった。参加者は、学識深い人々の話を聴けるだけでなく、コシモの提供する豪華な食事も満喫し、とくに才能豊かな人は、衣食住も保証されて、研究に専念することができたのである。真の意味でのシンポジオンが、この時期のフィレンツェには存在した。コシモ自身がとりあげていうほどの学問のある男でなかったから、かえって学問芸術の理想的な理解者になれたのであろう。まずはスペシャリストでなければ話にならない学者や芸術家は、学問芸術の育成者としては意外と役立たないものなのである。

一四六四年、コシモ・デ・メディチは死んだ。一市民として生きることを選んだこの男は、死ぬ時も、一市民として死んだ。葬式も遺言どおり、質素なものであった。だが、フィレンツェ市民は、その直後、「祖国の父《パーテル・パトリアエ》」という尊称を捧《ささ》げることを決議した。

後を継いだのは、長男のピエロである。メディチ家の家長を継いだだけでなく、フィレンツェ共和国の家長も継いだのは、僭主政をとる以上、当然の成行きだった。「祖国の父」と「偉大なるロレンツォ」の間にはさまったピエロは、通称「痛風病み《ゴットーゾ》」と呼ばれているが、これは、あまりにも気の毒な評価である。たしかに、四十六歳で後を継いでからの五年間、その大半を病床で過ごさざるをえなかったが、受け継いだものを損うことなく息子のロレンツォに引き継いだだけでも、もう少し評価されてしかるべきである。マキアヴェッリから、人間性豊かと評された彼は、コシモという重石がなくなって、またも有力家系による寡頭政を復活させようと策した人々を、一滴の血も流さずに押えこんでしまったのだ。ロレンツォが、血にまみれたスタートをしないですんだのは、一にピエロの功績であった。

対外関係でも、コシモ個人の力量《ヴィルトウ》によって保たれてきたフィレンツェ共和国に対する評価を、この「痛風病み」は、メディチ家のものに移し換えることに成功する。コシモの死によるフィレンツェの路線変更を怖《おそ》れた他国も、巧みに保証を示されて安心したであろう。国外関係の安定は、国内関係の安定になって返ってくる。有力者たちも、メディチ打倒の理由をもてなくなったのであった。

五年という短期間が、ボロをださないために幸いしたというかもしれない。だが、受け継いだものを二年も経ないうちに破壊してしまったもう一人のメディチが後に出てくることを思えば、ピエロは、自らに課せられた任務を充分に果したといえる。そして、ライヴァルを血を流さずにしりぞけることに成功したこの二代目は、マキアヴェッリから評された「人間性豊かな」という面を、芸術振興の面でも発揮した。

彫刻家のドナテッロは、コシモが心から愛した芸術家の一人だった。当時はすでに並ぶ者ない名声を享受していたが、コシモは、遺言の中で、ドナテッロが生活の心配をせずに創作に専念できるようにと、フィレンツェ郊外のカファジョーロの地に、豊かな収入が保証される農園を贈る一項を入れておいた。父の遺言をあらゆる面で忠実に実行したピエロは、もちろんこれも実現させる。ドナテッロは、これで無理解者とやりあわなくても、また、貧しい中で死ぬことを怖れなくてもよくなったと、大喜びで受けとった。正式に、贈与契約書も交わされる。

ところが、一年も経ないうちに、ドナテッロはピエロの許《もと》にやってきて、農園を返したいという。なぜかと問うたピエロに、芸術家はこう答えた。

「ほとんど三日ごとに、風が吹いて鳩舎《きゅうしゃ》の屋根が吹きとんでしまったとか、納税のために家畜を処理しなくてはならないとか、嵐《あらし》になればなったで、葡萄畑《ぶどうばたけ》がメチャメチャになったのではないか、果樹園はどうなっているだろうかと心配で心配で、気分を安らかに創作に向うどころではありません。これならいっそ、貧乏の中で死ぬほうがましです」

ピエロは、大笑いして、返してきた農園を受けとった。だが、メディチ銀行につくらせたドナテッロ名義の口座には、贈った農園からあがる収益と見あうか、それより少し多い額を、週ごとに計算して、その分を毎週払いこむよう指示したのである。ドナテッロが、今度こそ心から満足したのはいうまでもない。

芸術や学問の「助成」は、かくあるべきではないかと思う。メディチ家はやはり、ルネサンス文化の保護育成に力があったとされる資格は充分ではなかろうか。

しかし、ピエロ・デ・メディチは、感じの良いだけの男ではなかった。その一面は、息子や娘の結婚を考える際にもよく示される。

三十年間フィレンツェの僭主であったコシモは、後継ぎのピエロの妻を、フィレンツェの有力家系の一つであるトルナヴォーニ家より選んだ。コシモ自身も、妻はフィレンツェ出身だ。メディチよりはよほど旧家で、二百年昔に、彼らが融資しないかぎりフランスの王もイギリスの王も戦争ひとつできなかった時代の大銀行家、バルディ家の血をひく女である。つまり、フィレンツェの有力家系の伝統に忠実に、彼らの間で縁組を交わしていたのである。

ピエロは、それを破る。長女はフィレンツェの名家パッツィ家に嫁がせたが、長男のロレンツォの妻は、国外から選んだのである。ローマの大貴族、オルシーニ家のクラリーチェで、メディチのような都市の人間ではない。ローマの北方一帯に広がる領土に基盤を置く、封建領主だった。ただし、封ずる役の法王が一代かぎりなので、その下にあるはずの彼らのほうが強力なのである。このオルシーニと、ローマの南方一帯の領主であるコロンナはほとんど常に争っていて、彼らを押えこむのが、歴代法王の頭痛の種であった。当然、この両家は、法王庁に対して影響力が強い。これと、オルシーニのもつ軍事力が、縁戚《えんせき》関係をもつ利点とピエロには思えたのであろう。オルシーニ一族もコロンナと同じく、傭兵《ようへい》制度全盛であった当時のイタリアで、優れた傭兵隊長を多く出していることでも知られていた。

結婚のとりきめは、一四六八年にローマで成立し、式は翌年、フィレンツェで行われた。花婿《はなむこ》は二十歳、花嫁は、それより四歳年下だった。ピエロは、これもしとげて安堵《あんど》したのか、その年の暮に死ぬ。二十歳のロレンツォと、それより四歳若い弟のジュリアーノが残された。

マキアヴェッリは、この年に生れた。父に代わったロレンツォが、主役として登場してきたのと同じ年に生れたのである。

私も、ロレンツォ・デ・メディチに関して書かれた、同時代人の記録から後世の学者の筆になる研究にいたるまで眼を通してみたが、『フィレンツェ史』の終章でマキアヴェッリが評したほどの簡潔で適切な、しかも美しい描写を見出《みいだ》すことができなかった。それは第四章に紹介をまわすにしても、真実に肉薄するのは、実の世界の住人である学者よりも、ときとして、虚の世界の住人である文人のほうが得手なのかもしれない。

「運命から、また神から、最大限に愛された男であった」

と、マキアヴェッリは書いている。まったくロレンツォ・デ・メディチほど、一生を幸運に彩られた男も少ない。まずもって、受け継いだものからして他とちがった。

第一に、曾祖父《そうそふ》、祖父、父と三代にわたって築かれ増強された、メディチ財閥の強大な経済力。

第二に、祖父、父と二代にわたって築かれ増強された、メディチに対するフィレンツェ市民の好感情。

第三は、祖父、父と二代にわたって築かれ増強された、メディチに対する他国のリーダーたちの、敬意にもとづいた信頼感。

第四に、祖父と父の、とくに祖父コシモの周到な配慮によって与えられた、当時としては求めうるかぎりの最高の教育。なにしろ、祖父主催のシンポジウム出席の学者知識人を動員すればよいのだから、簡単であると同時に自然な、教育教養の環境であった。ゆえにこの「非大学出」は、完璧《かんぺき》にギリシア語を解したのである。だが、ロレンツォ自身も自分の息子たちに同じ配慮を与えたのに、どうもそれほどの効果をもたらさなかったのは、教育には受ける側の素質を変えるほどの力はなく、すでにある素質を伸ばす程度のものでしかないということか。

第五の幸運は、年少時より完璧な帝王教育をさずけられたことである。祖父も父も、公式には一市民として生き一市民として死んだのだが、対外関係となると、メディチの名声と経済力が突出しているために、国賓来訪の際などはとくに、表面に出ざるをえなくなる。他国の王侯がフィレンツェを訪れて泊まるのは、メディチの屋敷であったし、彼らを主賓とする宴会も、メディチ宮で催されるのが常だった。ヴェネツィア共和国では、このように一市民が突出する事態を防ぐために、国賓級の客人を迎える宴会は元首官邸《パラッツォ・ドゥカーレ》で催され、宿泊先も、有力者たちの屋敷を順番に割りあてるやり方を固守したのだが、ヴェネツィアは寡頭政である。同じく共和国と称していても、フィレンツェは僭主政なので、客人の思惑を考えても、どうしてもメディチ家に集中してしまうのであった。

だが、このためにロレンツォは、幼少の頃より、地位ある人々との交流に慣れ親しんだ。十歳の年には、ミラノ公爵《こうしゃく》の世継ぎの来訪に、フィレンツェの外まで出迎えにいく役をまかされる。また、祖父に代わった父が病床にある時が多かったので、父の名代として、ローマの法王の許に行ったこともあった。父の名代という立場は、フィレンツェ共和国の国会であった「百人委員会」にも、しばしば出席の機会を与えてくれる。自らの病状を知る父ピエロは、このようにして、公的には資格年齢に達していないロレンツォが、フィレンツェの内外ともに公《おおやけ》の場に顔をだす不自然を、不自然にしない方向にもっていこうとしたようである。フィレンツェ人には、民主政を最上と信じている者が多く、少しでも君主政の匂《にお》いが漂おうものなら、ただちに拒絶反応を起すからであった。

しかし、ロレンツォの青春が、堅くるしい責任感でばかり彩《いろど》られていたわけではない。田舎の別荘での、同年輩の友人たちや四つちがいの弟ジュリアーノと一緒になって「羽をのばして遊びまわる」ロレンツォを、家庭教師は母のルクレツィアに、愛と嘆きの微妙にいりまじった文で報告している。

もしも、このロレンツォに、神が少しばかり意地悪したのだとしたら、それは、彼が醜男《ぶおとこ》であったことだろう。祖父ゆずりの色の黒さは、まだよい。背が高くがっちりした体格も、悪くない。だが、ひどく角張ったあごは人眼をひかずにはすまず、黒い大きな眼は、生き生きとしていても相当な近眼で、その下に存在を主張しすぎる鼻は、母方のトルナヴォーニ家の特徴を忠実に受け継いで、たれさがっただけでなくひしゃげている。そのうえ、声がしゃがれていた。とはいえ、番茶も出花は男にも適用可能なのであって、二十代ならば、さほど絶望的な不利にはならなかったであろう。

しかも、出花の時期は過ぎようと、ロレンツォはもともと、生き生きとした愉《たの》しく陽気な気質の持主であり、教養とウィットとユーモアに富み、精神はバランスがとれていて、豪華な雰囲気が常に彼の周囲には漂う。それに加えて、ナンバー・ワンの財力と権力。さらに加えて、会った人をたちまち魅了してしまう、常に陽の当る道ばかり歩んできた才能ある者特有の、無理を感じさせない自尊心。

ロレンツォ・デ・メディチ

これで魅力がなかったとしたら、そのほうがおかしい。実際、女には大変にモテたようである。マキアヴェッリも、「ヴィーナスの方面にも並はずれて……」と書いている。醜男でも、存在全体からすれば惹《ひ》きつけられずにはいられない、醜男だったのだ。妻にしたオルシーニの姫君は、男三人女三人の子を産んで役目は一応果たしたにしろ、まちがいだらけのつまらない内容の手紙を読むと、ロレンツォの愛を一身に受けるには値しない女、と思ってしまうのである。反対にロレンツォの母のルクレツィア・トルナヴォーニは、二十歳で「家長」にならざるをえなくなった息子の相談相手をつとめられるほどの、教養と判断力の持主であった。

しかし、ロレンツォ・デ・メディチの最大の幸運は、二十歳の若さで独立できたことにある。遅く舞台に登場したコシモに、その力量《ヴィルトゥ》を充分に発揮させるために神は七十五歳の長寿を与えたが、ロレンツォには、死の時期まで幸運の中に生きさせようとすれば、早いスタートを恵むしかないと考えたのかもしれない。

父の死の二日後、まだ喪中のメディチ家を訪れたフィレンツェの有力者たちは、二十歳のロレンツォに、父ピエロが行ってきたと同じことを行うよう依頼した。ロレンツォは、受ける。なぜ受けたかを、彼自身次のように書いている。

「フィレンツェでは、国家なしに個人が生きることはむずかしいと思ったからである」

マキアヴェッリは、このエピソードの起る七ヵ月前に生れた。ロレンツォの結婚ならば、一ヵ月前である。生れたばかりの赤児は、見ることも理解することももちろんできない。だが、メディチ家のロレンツォの結婚式は、花の都フィレンツェに咲いた、大輪の花であった。父や母から、とくにこのようなことは女たちの夢と想像力を刺激するから、母や伯母たちから、幾度となく聴かされたのではないだろうか。

他国の姫君が嫁入りしてくるだけでも、フィレンツェでは一大事件である。しかも、メディチ家の迎えようがまた、いかにも当時のメディチらしかった。

祝祭は、花婿の独身の最後を飾る意味で、馬上槍試合からはじまるのが常である。一四六九年二月、フィレンツェのサンタ・クローチェ教会前の広場は、教会の正面を残して三方に築かれた桟敷《さじき》を人が埋めつくす。試合場には、そろいの服をまとったラッパ手と太鼓手の先導で、真珠をちりばめた白絹のマントをはおったロレンツォが、十二人のフィレンツェの良家の子弟からなる騎士たちを従えて、白馬に乗って入場する。入場したところで、マントを替える。今度は、空色のビロードに金でフィレンツェの紋章のあやめをしゅうしたものだ。頭部は、白い羽根飾りのついたかぶとで守られている。

ロレンツォの持馬二頭は、ナポリ王とフェラーラ公からこの日のために贈られたアラブの駿馬《しゅんめ》。甲冑《かっちゅう》も、ミラノ公からの贈り物である。軍旗は、修業中のレオナルド・ダ・ヴィンチも手伝ったにちがいないヴェロッキオ工房の作で、土煙にさらすのが惜しいような芸術作品。

試合は、一度落馬したがすぐさま戦線復帰した、ロレンツォの勝利で終った。審判員も、少しは点を甘くしたのであろう。勝利者は、当時フィレンツェの社交界の花形だった、またロレンツォとはいくらか噂《うわさ》もあった、ドナーティ家のルクレツィアの手より、花で編まれたかんむりを受けた。ロレンツォも、数日後、その日のことをこう書いている。

「サンタ・クローチェ広場で、馬上槍試合を挙行した。大変にぜいたくで、華麗なものだった。一万フィオリーノほどかかった。試合は、勇猛果敢で終始したとはいえなかったが、ともかくわたしは、最高の栄誉に輝いた」

その四ヵ月後、結婚の祝祭が、三日にわたってフィレンツェ中をわかせた。閉じられた窓の内側で進められる、宴《うたげ》ではない。メディチの屋敷の扉は開放され、道路上まで卓が並ぶ。四ヵ所に分かれた調理場からは、百五十頭の子牛、二千羽のにわとりが料理されて運びだされる。飲まれた葡萄酒の量、果実の皿数、菓子の種類は数知れず。三日間に五度の大宴会が催された。路上では、舞踏がくり広げられる。誰もが、食事にありつき舞踏にも参加できた。もちろん、年長者で位の高い人々やその夫人たちには、庶民と混じりあうことはないよう配慮がなされていたが、若い者たちにはなんの区別もなかった。メディチが、こう望んだのである。この三日を境に、ロレンツォの独身生活は終った。そして、この六ヵ月後に、父を失った。

二十歳で大任を背負うことになったロレンツォ・デ・メディチが、責任を強く感じて生き方を一変したかというと、まったくそうではない。もしそうであったら、ロレンツォではない。この男は、相反する面を持ちながらそれを無理なく調和させ、いずれの面も積極的に発揮して生きていく型の男だった。

花の都フィレンツェは、この花咲かせの巧者を得て、完全に開花する。ロレンツォ自身は、弟のジュリアーノが成人するにつれて立役者の場を彼にゆずっていったが、演出は手放さなかった。

この若者の野望は、明確だった。フィレンツェを、メディチの完全なる支配下におくことである。ただし、君主政でなく僭主政《せんしゅ》を守りながら。彼は、フィレンツェ人が、美と華麗を好むことを知っていた。そして、それを、彼らが期待していたよりはもっとすばらしい形にして与えた。だが、これが最大の効果をもたらしたのは、ロレンツォ自身が、同じことを好んでいたからである。フィレンツェ人は、ロレンツォの中に自分たちと同質の血が流れるのを感じ、それを最高の感覚と最大限の華麗さで提供するロレンツォを、誇りに思うとともに愛したのである。

フィレンツェは、輝いていた。ロレンツォをもつことで、かつてないほどに輝いていた。

ヴェロッキオ、ポライウォーロ工房は外国にまで知られ、フィリッポ・リッピ、ボッティチェッリ、ギルランダイオは画筆をふるう。十五歳で『イーリアス』を訳したアンジェロ・ポリツィアーノが貧困に苦しんでいると聴けば、自宅に引きとって研究をつづけさせ、ボローニャ、パドヴァの両有名大学に対抗して、ピサ大学に、若くて実力があって野心的な教授たちを集めさせる。二十三歳のこの「非大学出」は、自分で大学をつくってしまったのだ。ロレンツォは、学芸振興が、終局的には実利をもたらすことを知っていた。だが、彼の面白いところは、それが計算しての策ではないところである。自分の心の望むままに忠実に行動すれば、それが自分自身だけでなく国の利になってもどってくるのだから、幸運な男であった。

二十二歳の年、新しく法王になったシスト四世の即位式に、フィレンツェ共和国の公式使節団の一員としてローマへ行った時のことである。祖父ほども年のちがうドナート・アッチャイオーリが首席の使節団では、若年のロレンツォは末席を汚すにすぎない。だが、彼は、当代の大知識人で、万能の天才としてはレオナルドの先駆者といわれた、レオン・バッティスタ・アルベルティに同行を依頼した。そして、公式行事の合間に、アルベルティの説明を聴きながら、ローマの遺跡を見てまわったのである。これは、この機会にローマに来ていた人々を、さすがにメディチ、と讃嘆させる。しかし、この同じ日々に、その頃はまだ商売を忘れていなかったとみえ、メディチ銀行の法王庁財政担当、つまり法王庁の大蔵省のような業務担当権の更新も果していた。

フィレンツェ共和国は、平和を満喫していた。自ら戦争に直面させられたことは一度あったが、まずは一四七八年までは、おだやかな日々がつづいたのである。その一度の戦いは、フィレンツェ領土内のヴォルテッラの街が反旗をひるがえし、断固強硬路線を主張したロレンツォがほとんど一人だけの決意ではじめたものだが、フィレンツェ人に戦いをしている実感が起きないうちに鎮圧に成功したので、ロレンツォ個人の「株」があがっただけで終った。

マキアヴェッリも、九歳の年までは、平穏で華やかなフィレンツェで、そうあるのが当り前という感じで過ごしていたのではないだろうか。六歳の年に行われた、メディチ家のジュリアーノが花形で終始した馬上槍試合は、父親にでも連れられて見たであろうか。会場に行くにも、家から十分とはかからない距離だったのだから。

この年の馬上槍試合は、詩にうたわれ絵に描かれたほどの、華麗で美しいものだった。兄のときとはちがって勇猛果敢に戦った参加者たちの中でも、ロレンツォの弟の武術はぬきんでていて、彼の優勝は公正な結果であったらしい。花で編まれたかんむりを勝者の頭上にかかげる女神も、ロレンツォのときから六年が経《た》てば人も代わる。その年は、繊細な美しさで評判だった、シモネッタ・ヴェスプッチがつとめた。

その場にくり広げられた美と若さの饗宴《きょうえん》は、ポリツィアーノが詩に歌い、ボッティチェッリの有名な絵『プリマヴェーラ』（春）に結晶する。優雅で武術にも巧みな二十二歳のメディチの二男は、いかにも二男らしい性格からも、フィレンツェ市民の人気は高かった。また、兄よりは美男だった。

ロレンツォとジュリアーノの兄弟を、フィレンツェ人は、彼らのプリンスと見ていたのであろう。ロレンツォが、愉しみを追求するのを目的としてつくられた若者たちのクラブ「ブロンコーネ」（切り株）のリーダーならば、ジュリアーノは、同じ目的ながら「ディアマンテ」（ダイヤモンド）と名づける別のクラブを主宰する。あまり年のちがわない二兄弟はえてして仲が悪いものだが、この二人はちがった。ロレンツォは、いかなる場合でも、四つちがいの弟をかたわらから離さなかった。政治の場でも快楽の場所でも。

フィレンツェの人々は、百人委員会に同席する二人を見、次の日が祭日ならば、リュートをかかえて庶民の踊りの渦に見え隠れする、メディチの二兄弟を見たのである。

ただ、ジュリアーノは兄とちがって、学者や芸術家にかこまれて時を過ごすのをそれほどは好まなかったようだが、これも二男坊らしくてよいのである。ジュリアーノも、兄とは少しばかりちがう意味でも量ならば同じくらい、フィレンツェの人々から愛されていたのだった。もしも、メディチ打倒を策す者がいたならば、ロレンツォ一人を消したのでは目的が達せられないと考えたとしても当然だったのである。

そして、華麗な絵巻のようであったこの馬上槍試合から三年の後に、実際に反メディチの陰謀が勃発《ぼっぱつ》する。ロレンツォがはじめて直面し、フィレンツェがひさかたぶりに立ち向わねばならなかったこの危機は、当時九歳であった少年にも、なにかを見させずにはおかなかったであろう。なにしろ、眼と鼻の先で展開された大事件であったのだから。

ジュリアーノ・デ・メディチ

少年時の体験がすべて、後々までも影響を与えるとはかぎらない。だが、中には、成熟した後までも、思考のヒントの源になりつづけるものがある。パッツィ家の陰謀は、マキアヴェッリにとって、この種の体験であったにちがいない。

一人や二人のリーダーを消してみたところで、国の方針に変更をきたさないような体制をもつ国ならば、陰謀は起りようがないから問題はない。この種の例は、ヴェネツィア共和国である。だが、君主政であろうと僭主政をとろうと、個人に権力が集中している体制の国は、陰謀を未然に防ぐことが重大問題になってくる。後年のマキアヴェッリは、著作の中で、陰謀について、執念深いほどに熱心に、しかも冷静に分析することをやめなかった。そして、それにテーマが及ぶごとに、パッツィの事件が言及されている。

また、マキアヴェッリは、政治思想家であったと同時に、歴史家でもあった。歴史家となれば、陰謀は常に興味をそそられずにはいない対象である。人間の種々相が明らかになるだけではない。偶然とか運とかいうことが、どれほどことの成否を左右するかが痛感されて、粛然とせざるをえないからである。「パッツィ家の陰謀」は、父や母からの聴き伝えでなく、マキアヴェッリがはじめて自分の眼で見たといえる、最初の事件になったのであった。

第三章　パッツィ家の陰謀

歴史上、「パッツィ家の陰謀」として有名なこの事件は、フィレンツェ人が、若きジュリアーノ・デ・メディチの馬上槍試合の際の雄姿に陶然となっていた年よりも以前に、根が張られはじめていたのであった。フィレンツェの有力な家系の一つであるパッツィ家と、法王シスト四世が結託して起したこの陰謀について、歴史家たちは、さまざまな方向に原因を求めようとする。

一、パッツィ家の一員が主張した遺産相続権を、ロレンツォ・デ・メディチが特別法をつくらせてつぶしたからである。

一、フィレンツェ共和国に事実上の君主として君臨するメディチの専制に、パッツィが反撥《はんぱつ》したからである。

一、メディチが長年享受《きょうじゅ》していた法王庁の財務担当権を、パッツィが横取りしたからである。

一、反メディチ派として知られたフランチェスコ・サルヴィアーティを、法王シストが、ところもあろうに、フィレンツェ共和国が併合を狙《ねら》う、ピサの大司教職に任命したからである。

一、弟ジュリアーノを枢機卿にしてほしいというロレンツォの依頼を、法王が聴きいれなかったからである。

これらはすべて、真実であったろう。だが、はじめのうちは好調に進んでいた法王とロレンツォの関係が次第に悪化し、ついに正面衝突することになる根本の原因は、両者がいだいていた、イタリア統治に対する考え方の完全な相違にあったのである。ロレンツォの考え方は、こうであった。

軍事大国でないフィレンツェ共和国の独立と自由を守るのは、イタリア半島の独立と自由が守られてこそである。そして、これまた軍事大国ではないイタリアの独立と自由を守るには、イタリア内の各国が互いに争っていてはだめである。それゆえに問題は、イタリアの中の各国の、争いの源をとりのぞくことにある。

二十歳で一国のリーダーの地位についたロレンツォ・デ・メディチは、その就任の当初から、彼独特の政治感覚による考えをもっていた。

戦争は、なにが原因になって起るのか。大国同士が直接の原因によって正面からぶつかる場合も、もちろんある。しかし、大国間の戦争、つまりイタリアの独立と自由をおびやかす理由を他国に与える怖《おそ》れのある戦争は、えてして、大国間の境界に位置する小国へ支配権を広げようとして起る場合が、前者の場合よりもよほど多いのが現実である。

十五世紀後半のイタリアは、ミラノ公国、ヴェネツィア共和国、フィレンツェ共和国、法王庁国家、ナポリ王国が、列強という文字をあてはめてもかまわない、いわば大国であった。これらの国々が、その国境の外側に位置する小国に対して、勢力伸張をはかろうにもやりにくくなる状態をつくりだせばよい。ロレンツォの考えによれば、小国群の健全なる存続こそ、大国間の平和を維持するに不可欠な要因、ということになる。あやふやな状態にある小国ぐらい、大国にとって魅力的な対象はないのだから。

ロレンツォ・デ・メディチの「小国保護対策」は、小国の民といえども自分たちの自由と独立を享受する権利をもつ、という、イデオロギーから生れたものではなかった。大国間の平和が乱されるのを未然に防ぐ対策として、大国に餌《えさ》を与えないために、考えだされた政策なのである。同じく「勢力均衡政策」という名で呼ばれていても、祖父コシモが考え実行した政策とは、そこがちがった。

コシモは、ミラノが強くなりはじめればそれと対抗するヴェネツィアにつき、ヴェネツィアが強大になりすぎれば、今度は一転してミラノと同盟関係を結んでヴェネツィアを牽制《けんせい》する、というやり方をとったが、孫のロレンツォはひと味ちがう。フィレンツェをになう二十代の若者は、争いの根本要因をとりのぞこうと考えたのである。

これは、しかし、あくまでも現状維持のための政策である。だが、ロレンツォは、生を受けた瞬間からすべてを持っていたのだ。その彼に持たざる者の革命性を、期待することはできない。彼の本質にとって不自然であることを、要求することはできない。ロレンツォ・デ・メディチは、自己に自然であるこの政策を、詩を書いたり祭りの演出に熱中したりするのと同じ熱心さで、進めていきつつあったのだ。小国が必要とするたびに、財政援助が、メディチ銀行から密《ひそ》かにおくられた。

反対に、法王シスト四世は、持たざる者の側に生れた。そのうえ、良くも悪くも超国家的性格をもたざるをえない、法王庁の主《あるじ》である。カトリックの総本山である法王庁は、それがあるイタリアと法王庁の利害が相反した場合、イタリアを見捨てるのにちゅうちょしなかった例をあげるのに、苦労はしない。シスト四世自身は、気が強い男だった。法王庁国家を強大にすることこそ、自らの使命と信じている。神の地上での代理人である法王は、俗界のすべての君主の上に位置するとも確信していた。

また、貧困の中から身を起した男なので、早急に収入を保証してやらねばならない多くの親族をかかえている。そのうちの何人かは枢機卿にしたが、他には領土でも見つけてやらねばならなかった。このシスト四世にしてみれば、法王庁国家強大化と肉親への愛は、実に自然に結びついたのである。ところが、いざこれを現実に移そうとするたびに、ロレンツォの影が立ちふさがることに、法王はまもなく気がついた。

ウンブリア地方の小国チタ・ディ・カステッロを攻めれば、領主ヴィテッリ一族がしぶとく抵抗して、結局目的は達せられない。ヴィテッリがしぶとく抵抗できたのは、ロレンツォの援助にささえられていたからである。

また、ロマーニャ地方にある小国ファエンツァも、同じだった。この場合は、軍事力による獲得をあきらめたシストが、ファエンツァの領主マンフレディに借金が多いことを知り、それを返済しなければ統治の資格なしとして、領国をとりあげるしかないと告げたのである。ファエンツァも、チタ・ディ・カステッロ同様、形式上では法王庁領土だった。領主は、法王から委託されて統治するというのが建前になっている。

ところが、返済できるとは誰一人思っていなかったのに、マンフレディは、返済の期間とされた四十日間内に、三万スクードにのぼる莫大《ばくだい》な額の借金をすべて返済し終ったのだ。ロレンツォが貸したからである。法王の思惑は、ここでも挫折《ざせつ》するしかなかった。

激怒した法王と、彼の甥《おい》でミラノ公の庶出の娘カテリーナ・スフォルツァと結婚し、ファエンツァ領有を狙っていたジローラモ・リアーリオと、もともと反メディチの想いをもてあましていたパッツィが結びつくのは、自然な勢いであったかもしれない。パッツィ家の中では、当主ヤコポの甥で、メディチの専横に我慢がならないとしてフィレンツェを離れ、ローマに住んでいたフランチェスコが代表格になる。

マキアヴェッリは、このフランチェスコ・デ・パッツィを、もの書きならば羨望《せんぼう》の想いなしには読めない名文で、次のように評している。

「フランチェスコは、パッツィ家の男たちの中で、最も感じやすい性格の持主であり、血気盛んな男であった。それがために、一族の他の男たちに、欠けていたものを得させたが、同時に、持っていたものを失わせた」

当主のヤコポ・デ・パッツィは、慎重な男として知られていたのである。ロレンツォの食卓の常連の一人でもあった。だが、ローマでは、シスト四世、ジローラモ・リアーリオ、フランチェスコ・デ・パッツィの間で、陰謀は発酵しつつあった。まもなく、武術の達人の参加も不可欠という理由で、法王庁に傭《やと》われていた傭兵《ようへい》隊長モンテセッコが加わる。ピサの大司教サルヴィアーティも、密かな話しあいの席に欠かせない顔になっていた。

暗殺は、実に周到に計画された。

ロレンツォとジュリアーノのメディチ二兄弟を、同じ時に同じ場所で殺す。それにはまず、二人がともに出席する機会が、暗殺実行に好都合な状態で実現されなければならない。偶然を待つのではなく、二人とも出席せざるをえなくなるような機会を、計画的につくりだす必要があった。

餌は、ラファエッロ・リアーリオ枢機卿ときまった。法王の甥の甥にあたるこの十七歳の枢機卿は、ピサの大学に籍をおく身である。復活祭前後の休暇を利用して、ピサからほど近いフィレンツェを訪問するのは不自然でない。その訪問に、カトリック教会では枢機卿の下位にある、滞在地ピサの大司教が同行するのも当然の慣習だ。また、高位聖職者二人のこの旅行に、法王庁の傭兵隊長モンテセッコとその配下の兵たちが警護役として随行するのも、怪しいことは少しもない。枢機卿の旅行ともなれば、五十人程度の武装兵は従えた時代である。そして、フランチェスコ・デ・パッツィは、ローマのパッツィ銀行の業務報告を伯父ヤコポにするということで、久かたぶりのフィレンツェ帰国を果す。

こうして、サルヴィアーティ大司教、傭兵隊長モンテセッコ、フランチェスコ・デ・パッツィ三人のフィレンツェ入りが、人々の耳目をそばだてる危険なしに実現することになった。

リアーリオ枢機卿のフィレンツェでの宿泊先は、パッツィの屋敷である。これも、法王庁の財務を一手に引き受けるようになって法王とは近いパッツィ家が、自分たちの本拠地フィレンツェを訪問する法王の親族を客に迎えるのだから、おかしなことは少しもない。そして、現状では法王とメディチの間は良好とはいえなくても、現法王の親族が来ているのに、メディチが招待しないはずはない。招待しなかったとしたら、そのほうが話題になるだろう。また、このような場合の招待は、随行の全員に加えて、一行を客に迎えているパッツィ家の者まで招待されるのが通例である。そして、招待する側も、主賓がリアーリオ枢機卿である以上、ロレンツォとジュリアーノの二人がともに出迎えるのが、礼儀というものであった。

その席で、暗殺を決行する、ときまった。ここまでをきめてから、陰謀者たちはフィレンツェへ向ったのである。


すべては、彼らの思いどおりに進んだ。ロレンツォも、メディチ所有の別荘の一つに、枢機卿一行を招待した。だが、暗殺者たちは、剣を抜くことができないで終ったのである。ジュリアーノが、欠席していたからだ。ロレンツォは、身体の具合が良くないのだと、弟の失礼をわびた。暗殺者たちは、兄弟ともに殺さなければ目的は達せないと信じているので、決行は延期するしかない。

ところが、剣も抜けないままに通常の昼食会の客を装《よそお》うしかなかった暗殺者たちの耳に、若者らしく無邪気なリアーリオ枢機卿の声がとびこんできたのである。若者は、年長のロレンツォに、復活祭にはフィレンツェ第一の教会、サンタ・マリア・デル・フィオーレのミサに出席したい、と言っているのだった。ロレンツォが、ではわたしもお伴しましょう、と答えたのも聴こえた。

リアーリオ枢機卿が陰謀に通じていたのかどうかということは、歴史家たちの議論が集中するところである。だが、あの若さで、また事件後の枢機卿の振舞いからしても、知らされていなかったのではないかというのが大勢になっている。いずれにしても、暗殺決行の時と場所はきまった。復活祭当日のミサである。しかも、フィレンツェの本寺で行われるミサである。今度こそジュリアーノの出席は確実だと、暗殺者たちは確信したのだった。

手順もきまった。暗殺者たちは、三つのグループに分かれる。第一グループは、教会の中で、ミサのはじまるのを合図に二人を殺す。そのためにこのグループは二手に分かれ、一手はロレンツォを、もう一手はジュリアーノ殺しを受けもつことにきまった。

ジュリアーノ殺害は、フランチェスコ・デ・パッツィと、同じフィレンツェ人でとかくの評判のあったバンディーニの二人が引きうける。だが、当初からロレンツォ殺害を担当することにきまっていた傭兵隊長モンテセッコが、教会の中で人を殺すのはいやだと言いはじめたのである。それでやむをえず、大司教サルヴィアーティの下にいた二人の僧が、代わってやることになった。

第二グループは、サルヴィアーティがひきいるグループで、ミサ開始を告げる鐘の音を合図に、フィレンツェの政庁パラッツォ・ヴェッキオを占拠する。また、これと同時に、ヤコポ・デ・パッツィひきいる第三グループが、政庁前のシニョリーア広場にくりだし、市民たちにメディチ崩壊を告げ、新政権の樹立を呼びかけることになっていた。教会内での人殺しは拒絶したモンテセッコも、決行後の市内を支配下におく任務は引きうける。

一四七八年の復活祭は、四月の二十六日にあたっていた。

その日、午後三時に行われる正ミサに出席する人々が、フィレンツェの街中に多い教会の門をくぐりはじめる。とくに、サンタ・マリア・デル・フィオーレは、枢機卿臨席を知った人々が、ミサのはじまるずっと前から、広大な内部をぎっしり埋めていた。フィレンツェの有力な家系の人々の顔も多い。

リアーリオ枢機卿が到着した。教会の前で迎えたロレンツォの先導で、正面の祭壇の前にしつらえられた特別席につく。ロレンツォは、友人知人に囲まれて、祭壇の右手、ミサに必要な品を入れておく聖具室に通ずるあたりの席についた。暗殺者たちも、それぞれ所定の位置に陣どる。

ところが、またもジュリアーノがいない。祭壇に向って左手にもうけられたいつもの彼の席が、ミサがはじまろうとしているのに空席のままなのだ。フランチェスコ・デ・パッツィは、もうこれ以上延期はできないと思った。教会を抜けだし、彼自身でジュリアーノをメディチ宮まで迎えにいこうときめたのである。ジュリアーノとは遊び仲間でもあった彼は、メディチの二男は身仕度をはじめるのが遅く、ために終るのも遅れがちであるのを知っていた。教会からメディチの屋敷までは、走れば二分とかからない距離である。

案の定、ジュリアーノはまだ在宅で、身仕度の最中だった。フランチェスコは、隣りの部屋で待つ間も、早くするよう催促する。ようやく身仕度を終えて出てきたジュリアーノを、肩をだくようにして教会へともなった。肩をだきながらも、手をジュリアーノの服の上になにげないようにすべらせ、服の下をよろいのようなもので守っていないかどうかを、探ることも忘れなかった。

遅刻したジュリアーノが、自分の席についたとほとんど同時だった。バンディーニの剣が、まず彼を襲った。次いで、フランチェスコ・デ・パッツィが、倒れたジュリアーノを剣で突き刺した。メディチの二男は、なにごとが起ったのかもわからないうちに死んだ。

ロレンツォ殺害のほうは、これほどうまくは運ばなかった。暗殺担当の二人の僧が、ミサ開始とともにという予定が崩された後の決行であったために、当初の集中力がにぶっていたのである。剣先は、ロレンツォののどもとをかすっただけだった。それ以上は、非武装が礼儀のミサの席とてマントで剣をかわすロレンツォの友人たちにはばまれて、ロレンツォと彼らが、聖具室に逃げこむのを許してしまったのだ。ただ、ロレンツォの隣席にいた、彼の友人の一人が殺された。

広い教会の内部は、たちまち、人々の悲鳴と叫び声でいっぱいになった。われ先にと逃げだす人々が、扉めがけて殺到する。祭壇の近くでは、剣を振りまわす暗殺者たちと、それをマントでかわしながら、すきを見ては押えこもうとする男たちの渦が、あちこちにできては散った。そのたびに、動かない身体が床上に残される。正面の席に茫然《ぼうぜん》と立ちつくしたままだったリアーリオ枢機卿は、まもなく誰かの手で、教会の裏に開いた扉から連れだされた。

聖具室の中も、逃げこんで扉は閉めたものの安心はできなかった。扉は青銅の裏打ちがしてあったので破られる心配はなかったが、ロレンツォを傷つけた剣に、毒でも塗ってあったのではないかと友人たちは怖《おそ》れたのだ。一人が、彼の傷口に口をつけて、吸いだしては吐き捨て、吐いては再び吸いだすことをつづけた。

外が静かになったのに気づいた人々が、ようやく聖具室の扉を開けた時、ロレンツォははじめて、これまで気がかりであった弟の行方を知ったのである。無人の教会の冷たい石の床の上に、二十五歳の肉体が横たわっていた。友人たちは、涙も流れないままにその弟を見つめて立ちつくすロレンツォをせきたて、ジュリアーノの遺体を肩に、一団となってメディチ宮に急いだのだった。メディチの屋敷では、母親ルクレツィアの絶望の叫び声が、兄弟を迎えた。


政庁占拠を担当したサルヴィアーティ大司教のほうも、ことはうまく運ばなかった。高位聖職者の立場をかさに前ぶれもなく入ってきた大司教を迎えたのは、大統領《ゴンファロニエレ》のチェーザレ・ペトルッチである。ペトルッチは、先年のプラートの乱でも豪胆なところを見せた男で、しかも身体が大きく威圧的で、大司教の権威が効果をあげるには最も悪い相手であった。ペトルッチは、その時はまだなにも知らなかったにもかかわらず、大司教の態度から、事態がただならぬものであることを即座に悟った。

暗殺者側にとってさらに悪かったことは、技術的なことが趣味のペトルッチが、政庁内の自分の執務室近くの扉という扉の鍵《かぎ》を、彼考案のものに改良していたことである。これだと扉は自動式に閉まり、閉まった扉は特定の鍵でなければ、内からも外からも開かないのだった。そのために、精神的にも肉体的にも微動だにしそうもない相手をもてあました大司教が、武装した配下を呼び入れようとしても、大司教も配下の兵も、それぞれ別々の部屋に閉じこめられることになってしまったのである。

ヤコポ・デ・パッツィのひきいる第三グループの成果も、散々なものだった。

「ポポロ、リベルタ！」（民衆、自由！）

と叫んで煽動《せんどう》につとめたのだが、ポポロのほうがいっこうに煽動にのってこない。それどころか、教会での惨事が知れわたり、ペトルッチが鳴らさせた政庁の鐘楼からの警鐘で変事を知った人々が広場に続々と集まってきても、その中からは、「裏切者！」という声しか起らず、果ては石を投げつけられる始末。身の危険を感じた陰謀者たちは、煽動どころか逃げだすしかなかった。

逃げられる者は、みな逃げた。モンテセッコも、市中の把握どころか、まっ先に逃げた。政庁の中に閉じこめられた者たちは、ある者は捕えられ、抵抗した者は殺された。

教会内での斬《き》り合いで傷ついたフランチェスコ・デ・パッツィは、血を流しながらパッツィ宮にたどりつき、血で汚れた服を脱いだだけで、寝床にころげこんだ。傷が意外に深く、これ以上動くことができなかったからである。そこに、ポポロが襲ってきた。服をまとう間もなく引きずりだされた彼は、そのままの姿で政庁にひかれていった。

だが、フランチェスコの態度は、捕われた他の男たちとはちがった。命乞《いのちご》いもせず泣きわめきもせず、悪びれたところなどまったくない態度を保ちつづけ、自分をののしり石を投げる人々を冷然と見やったまま、広場に面した政庁の窓から首つりにされた。次いで窓からつるされることになったサルヴィアーティ大司教は、詩人ポリツィアーノの証言によれば、このような事態にいたる発端になったフランチェスコをののしりつづけ、つるされたひょうしに、となりにあった彼の足にかみついたという。

激昂《げきこう》した民衆は、もはや正規の裁判など聴く耳を失っていた。聖職者であろうと、容赦はしなかった。政庁の窓がいっぱいになれば、近くの警察《パラッツオ・デッラ・ポデスタ》の庁舎の窓が動員された。このどちらかの窓からつるされた刑死体を、レオナルド・ダ・ヴィンチがデッサンしたのである。

歓声をあげ、ののしり、石を投げつけ、つばを吐きかける民衆。その中にあって、静かに筆を走らせる二十六歳のレオナルド。九歳のマキアヴェッリは、石を投げた一人であったろうか。それとも、まばたきするのも忘れて眼を見開き、地獄絵を見つめつづけたのであろうか。

メディチ宮の前の広い道は、押しよせる人々であふれんばかりだった。人々は、「パッレ、パッレ」(球、球)と大合唱する。メディチ家の紋章が丸薬を思わせる六つの球なので、パッレといえば、メディチを意味したのである。

メディチ宮の窓辺に、ロレンツォが姿を見せた。首もとに巻かれた包帯が、夕闇《ゆうやみ》に沈みはじめた中に白く浮ぶ。顔は、血の気がなかった。笑いも、口もとに漂わない。歓声をあげる民衆に向って、ただ立ちつくすだけだった。だが、それでも人々は満足した。おかげで、ほとんど十五分お

レオナルドがデッサンした刑死体

きに、ロレンツォは窓辺に呼びだされた。しかし、屋敷の中は、ジュリアーノの頰を、まるでまだ生きている息子にするように愛撫《あいぶ》しつづける母ルクレツィアの、涙も涸《か》れた悲嘆がおおっていた。

三日の間、フィレンツェは荒れ狂った。絞首刑《こうしゅけい》にされた者は、しばらくさらされた後で引きずりおろされ、首は斬られ、槍の先に突き刺したそれを先頭に、街路を群衆が走りまわる。裏切者には死を、という叫びが、石づくりの街並にひびきわたる。刑死体も、道を引きずりまわされた後で四つ裂きにされ、アルノ河に投げ捨てられた。埋葬は、ただの一人も許されなかった。

ロレンツォ殺害を担当した二人の僧は、修道院にかくれていたところを見つけだされ、怒り狂った群衆によってその場で殺された。人々の怒りはすさまじく、警察が止めに入らなければ、修道院の他の僧たちまで、かくまった罪でリンチにあうところだった。

パッツィ一門も、当主のヤコポ以下、婦女子をのぞく全員が捕えられた。そして、そのほとんどが、死刑に処せられた。ロレンツォの姉と結婚していたグィエルモ・デ・パッツィも、おそらく完全に無実であったとされているが、その彼でさえも追放をまぬがれず、妻と子に再び会えるまでに、六年を経過しなければならなかった。

パッツィ家を示すものは、すべての場所からはずされた。花の聖母寺と政庁を結ぶ線上の中頃にあった壮麗なパッツィ宮も、土台の石にいたるまで破壊された。


傭兵隊長モンテセッコも、逃亡に成功することができなかった。そして、捕われた彼とヤコポ・デ・パッツィの自白によって、この陰謀の背後に法王シストがいたことが、はじめて細部の実証をともなって判明したのである。現世的傾向は強かったが、根元的な意味での信仰はもちつづけていたフィレンツェ人は、愕然《がくぜん》となった。神の地上での代理人ともあろう人が、殺人の糸をひいていたのである。四月三十日、ジュリアーノの葬式が行われた。怒りと悲しみを胸に、多くのフィレンツェ人が参列した。

ジュリアーノの死の数日前に、彼の愛人が子を産んでいた。ロレンツォは、くわしくも探らずにその子を認知し、メディチ家の一員として育てることにする。この時の子が、後の法王クレメンテ七世である。

暗殺者の中で一人だけ、逃亡に成功した者がいた。ジュリアーノに最初の剣をふるったバンディーニで、トルコの首都のコンスタンティノープルに逃げていたのである。だが、以前からロレンツォに好意をいだいていたスルタン・マホメッド二世は、バンディーニを捕え、フィレンツェに送還させた。待っていたのは、もちろん死刑だった。

陰謀失敗を知ったローマの法王は、生来の強気もあらわに、この時も強硬策でのぞんできた。フィレンツェ共和国政府に対し、次の要求をつきつけてきたのである。

一、サルヴィアーティ大司教以下多くの聖職者を死刑に処したのは、法王庁に対する内政干渉である。聖職者の処罰は、法王の権限であって、一国の政府の関与すべき問題ではない。

二、ロレンツォ・デ・メディチは、追放されてしかるべきである。

三、リアーリオ枢機卿を、無事にローマに送り返すこと。

これを送りつけておいて、法王シストは、ローマ駐在のフィレンツェ大使を捕えさせた。だが、一日も経ないうちに大使を釈放するしかなかった。ローマ駐在の各国大使たちの抗議を、無視できなかったからである。それならばと、今度は、ローマにいるフィレンツェ商人たちを捕えさせた。

フィレンツェは、同胞の釈放獲得のために、リアーリオ枢機卿を使うことを考える。若い枢機卿は、事件の直後から安全な場所にかくまわれていたのだが、共犯とは断ぜられない面が多すぎた。それでも民衆の怒りのおよばない場所にかくまわせたのも、ロレンツォのはからいだった。リアーリオ枢機卿は、夜中密《ひそ》かにフィレンツェの城門を後にし、フィレンツェの軍隊に守られてローマに帰る。カステル・サンタンジェロの要塞《ようさい》に投げこまれていた四百人のフィレンツェ商人たちも、これで自由を回復した。

しかし、法王は、強硬策続行をあきらめなかった。事件から一ヵ月余りが過ぎた六月一日、法王教書を発して、ロレンツォ破門を全キリスト教世界に告示した。そして、ロレンツォを追放しないならば、フィレンツェ共和国全体を聖務禁止《インテルデット》に処すとも告げてきたのである。聖務禁止処分とは、生れた子も洗礼を受けられず、結婚もできず、死にゆく者も、最後の救いを許されない処罰である。これを受けた地域では、ミサも結婚式もなにもかも宗教上の効力をともなわず、カトリック教徒と認められないために、死ねば地獄行きはまぬがれない。信心深いキリスト教徒にとっては、破門に次ぐ怖《おそろ》しさを意味した。

だが、この脅しも効果はなかった。ロレンツォが追放されたという知らせは、あいもかわらずとどかない。怒った法王は、六月二十日、ほんとうにフィレンツェ中を聖務禁止処分に処してしまった。それでも、フィレンツェ人は動揺しなかった。これには法王も、暗殺で実現しなかったことを、戦争でかち取るしかないと決心する。

ロレンツォは、事件の全容が明らかになった段階で、各国の君主や政府にあてて、事件の経過と結果を説明する手紙を送っていた。もちろんすでに、各国の大使や情報官から報告はとどいているのだが、言ってみれば、当事者の公式見解というところである。叙述は正確で客観的だが、その中ではどこにも、陰謀の中心人物三人のうち、法王シストと法王の甥《おい》ジローラモ・リアーリオに言及した箇所はない。だが、それでいて、各国の政治の当事者ならば一読して理解するにちがいない巧妙さで、解説されている。

ロレンツォの期待どおり、各国は反応してきた。メディチの二兄弟に、同情したからではない。その時点では、次々と強硬策を打ちだしてくる法王よりも、ロレンツォのこれまでのやり方のほうが、各国にとって都合が良いと判断したからである。

まず、ヴェネツィア共和国が、次いでミラノ公国、フェラーラ公国、マントヴァ侯国も、そしてフランス王ルイ十一世まで、ジュリアーノの死をいたみ、ロレンツォの生存を喜び、フィレンツェ共和国との間の従来の友好関係を再確認する手紙を送ってきた。これは、各国とも、法王ではなくロレンツォ側に立つという公式宣言をしたと同じことだった。

ただ、一国だけ、態度を明確にしなかった国がある。ナポリ王国だった。フィレンツェに対して公然と戦いを起すと決心した法王が、自らは強力な軍事力をもたないために、ナポリ王フェランテをひきこもうとしていたからである。戦線参加の条件は、征服後のフィレンツェはジローラモ・リアーリオが領するが、ナポリ王の封土として領する、という一項だった。

その年の夏、戦争は、フィレンツェ共和国領内への法王・ナポリ王連合軍の侵入ではじまった。迎え撃つフィレンツェは、これまた軍事力の弱体なことで知られている。傭《やと》い入れた傭兵軍に、ヴェネツィアやミラノから送られた兵をフェラーラ公が指揮するという、一貫した戦略など夢という陣容だった。だが、敵も、法王軍総司令官のウルビーノ公と、ナポリ軍をひきいるカラーブリア公の意見があわず、兵力を駆使できない状態では変りはなかったのである。

この年のフィレンツェ人の一致団結ぶりは、彼らの気質を思えば驚嘆にあたいするものだった。法王は何度もくりかえして、ロレンツォだけが敵なのであって、フィレンツェ人にはなんの恨みもないと言ってきたのである。それでも、彼らはロレンツォを見捨てなかった。聖務禁止に処せられても、動揺しなかった。戦費の負担も、通商の止まったことによる経済状態の悪化も、耐えたのである。少なくともその年も冬を迎え、戦いが事実上の休戦状態に入るまでは耐えたのだった。

しかし、年があらたまった一四七九年、春に再開された戦いの様相は、フィレンツェにとって、明らかに不利に展開しはじめていた。ロレンツォが戦線を駆けまわって、戦費の効果的な運用につとめても無駄だった。フィレンツェの市街から十キロの距離の、マキアヴェッリの山荘のあるあたりにまで、ナポリ兵の姿があらわれはじめる。フィレンツェと同盟を誓ったはずの各国の態度も、どうも煮えきらなくなっていた。加えてその夏、フィレンツェはペストに見舞われる。通商停止による経済悪化も、街中の店頭の淋《さび》しさでわかるほど、隠しようがなくなっていた。そして、秋、フィレンツェ共和国政府は、カラーブリア公がほんの気まぐれのように示した三ヵ月の休戦に、本心からとびついたのである。

ロレンツォは、この三ヵ月に賭《か》けると決心した。民心は、疲れきっている。彼らにこれ以上の支持を望むほうが、非現実的であった。

賭の相手には、法王でなく、ナポリ王を選んだ。あの狡猾《こうかつ》な男が、法王シストの約束を頭から信じているとは思えなかった。信じていないならば、戦いをつづける理由が薄弱になる。ロレンツォは、この点に狙《ねら》いを定めたのである。そして、この賭にも似た交渉には、使節を送るのではなく、彼自身が出向くこともきめた。

ナポリ王フェランテが、残忍な男であることは周知の事実だった。殺させた人物をミイラにしてその前で食事するというたぐいのエピソードには不足しなかったし、彼を頼ってナポリへ行った高名な傭兵隊長ピッチーノを殺させた事件は、まだ人々の頭から消え去ってはいない。ふところにとびこむには、最も不適当な相手といえた。「根まわし」は、ある程度はやったようである。ナポリの王妹を妻に迎えているフェラーラ公を通じ、また、ミラノ公にも、幾分かの橋わたしは頼んだらしい。だが、本筋のところは、ナポリに長く住むフィレンツェの銀行家フィリッポ・ストロッツィを動かして工作させた。この男は後に帰国し、ピッティ、メディチの両宮殿と並ぶルネサンス建築の傑作、ストロッツィ宮を建てることになる。

それにしても、「根まわし」に時間をかけることは許されなかった。休戦期間は、一日といえども無駄にはできなかったのだ。三十歳のロレンツォは、ナポリ王が密かに知らせてきた、来れば会う、という言葉だけで発《た》つ。一四七九年も、十二月に入っていた。

少数の友人に打ちあけただけでフィレンツェを離れたロレンツォは、十二月七日、フィレンツェから五十キロほどきたサン・ミニアートで、フィレンツェ政府にあてた手紙を書いた。そして、それを送りとどけるように言い、再びアルノ河沿いに西へ向い、リヴォルノの港に待っていた、ナポリのガレー船にのりこんだのである。

法王が敵では、フィレンツェからナポリまでは、海路をとるしかなかった。ロレンツォをのせた船がティレニア海を南下しはじめたと同じ頃、フィレンツェの政庁パラッツォ・ヴェッキオでは、集まった政府関係者を前に、ロレンツォの手紙が読みあげられていた。

まず、通知もせずに冒険としかみえない行動をとった無礼をわび、自分をナポリ王の手にゆだねると決めた理由をのべはじめる。

「わたしは、わたしのとった行動が、フィレンツェに平和を回復させるためには、ただ一つ残された手段であったと信じている。もしも、ナポリ王が、われわれフィレンツェ人の自由に無関心でないとすれば、それをなるべく早期に悟らせるべきであろう。

そして、この目的が、多くの人々の損失でなく、一個人の損失で実現できるならば、言うことはまったくない。わたしは、その一個人に自分がなることを、次の二つの理由から当然と考え、それを行えることに満足している。

第一は、わたしこそ、敵からの非難が集中した当人であることだ。それがためにかえって、敵の一人であるナポリ王の真意を引き出す役に適している。なぜならば、敵がわたし個人の損失だけを求めているならば、わたしが出向くことによって、ただちにことは解決するからである。

第二は、わたしほどこの国で、高い名誉と温かい好意を受けてきた者はいない以上、国のために力をつくす義務も、他の人以上にあるはずである。

この二つの理由を胸に、わたしは発つ。神も、弟とわたしの血によってはじまったこの戦いが、わたしの手によって終るのを望まれるかもしれない。いずれにしても、わたしはただ、生か死かを望んでいる。そして、わたし個人にとっては幸であろうと不幸であろうと、わが祖国にとっては常に幸であれと望んでいる」

政府の委員たちは、みな粛然として、聴いていたそうである。なかには、涙を浮べる者もいたという。だが、海路を行くロレンツォの心境をうかがい知る史料は、一つも残されていない。詩も、一篇も書いていない。

やはり人並みに、怖しかったのかもしれない。ただ、ロレンツォという男は、自分が運に恵まれていることを知る男であった。また、いずれにしてもサイは投げてしまったのだからと、ナポリへ着くまでは、船上で大の字になって陽光を浴びて過ごすたちの、男でもあった。

しかし、後年マキアヴェッリから、華麗、とともに、慎重、冷静という讃辞を与えられたロレンツォ・イル・マニーフィコである。意図するところは、意外と堅実な地盤に立っていたのかもしれない。

フランス王ルイ十一世が、法王・ナポリ連合軍を迎え撃つに、フランスからも援軍を派遣してもよい、と申し入れてきたのに対し、ロレンツォは、こう答えている。

「わたしはまだ、全イタリアの危険よりも、自分の利益を優先することはできません。神の御意志で、フランスの王たちが、その力をイタリアで試すことなど思いつかないように祈ります。なぜなら、そのような事態になったりしたら、それこそイタリアは終りです」

ナポリ王の領する南イタリアへのフランス歴代の王の野心は、ヨーロッパでは知らぬ者ない事実であった。これより半世紀は前のエピソードだが、フェランテの父アルフォンソがナポリ王であった時代、アルフォンソがミラノ公フィリッポ・マリア・ヴィスコンティの捕虜になったことがある。その際アルフォンソは、ヴィスコンティに向い、脅迫をこめた説得をしたのだ。

「わたしに代わってフランスのアンジュー家がナポリを支配するようになれば、フランス人のイタリア支配は、〝翌朝〟の事実になりましょう」

ヴィスコンティは、アルフォンソを身代金《みのしろきん》もとらずに釈放しただけでなく、彼と同盟さえ結んだのである。

十五世紀のイタリアは、支配者たちの間で、情よりも理が通用する時代であった。ロレンツォは、これに賭けたのかもしれない。

それにしても、なんと華麗なドラマを、ロレンツォは演出したのであろう。しかも、主役まで彼が演ずる。ロレンツォを乗せたガレー船が、ナポリに近づいてはいたがまだ入港には数日を要するという頃、すでに全イタリアは、この大胆な冒険を知っていた。ローマの法王シスト四世は、あわてて、ナポリ到着しだいロレンツォを投獄するよう勧めた手紙を、ナポリ王に送る。

ヴェネツィア共和国の〝C・I・A〟でもある「十人委員会《C・D・X》」は、ナポリに潜入させてあるスパイに、ナポリ到着後のロレンツォの動静を逐一報告するよう指令を発する。ミラノ公の宮廷では、ロレンツォ破滅かそれとも勝利かを、賭けようと提案する者がいる。だが、この賭は、はっきりどちらかに賭ける勇気の持主がいなくて、結局成立しなかったそうである。

フランス王ルイ十一世も、このドラマの成行きに注目する一人だった。

観衆からこれほどの注目を浴びて演ずるのだから、愉快でないはずはない。少なくとも、フィレンツェの中で祝祭を演出しているよりは、快は大きかったにちがいない。フィレンツェ政府に送りつけた、あの少々できすぎた手紙に書いたことも、彼にとっては、自分の意志の自然な発露であったろう。だが、愉快がるのもまた、ロレンツォの一面なのだ。だからこそ、成功するのかもしれない。実際、ナポリの港に入ったロレンツォを待っていたのは、冬とは思えないほどに暖かい、南欧の気候だけではなかったのである。

第四章　花の都フィレンツェ

ジョン・ル・カレのスパイ小説『ティンカー、テイラー、ソルジャー、スパイ』を読んでいて、あるところで視線が止まった。スマイリーとジムとの会話だったと思うが、一人がこんなことを言う。

「芸術家というものは、基本的に相反する二つの性向をもちながら、なおも機能を発揮しうる人間だ」

そうすると他の一人が、誰の言葉かね、と聞き、はじめにそれを言った男が、スコット・フィッツジェラルドの小説にあった、とか答える場面である。手許《てもと》にあるイタリア語訳のページをめくっても、どこだったか探しだせないほどこの種の小説は駆け足で読む私だが、あの一句だけは頭に残っている。そして、ロレンツォ・デ・メディチを書いているうちに思い浮んできたのも、同じ一句だった。

一四七九年の十二月も末ちかくなって、ロレンツォを乗せたガレー船はナポリに入港した。冬の季節の晴れあがった蒼空《あおぞら》と暖かい気候は、張りつめた胸といえども思わずゆるめてくれるものだが、三十歳の彼にも、それは起ったであろうか。だが、少なくとも、はるか右手に薄く煙をあげるヴェスヴィオの火山を眺めながら港に入ったロレンツォが、船着場で自分を待っているのが誰かがわかった瞬間、この「冒険」が良き前兆ではじまったことを確信したであろう。船着場に立って近づく船を待ちかまえていたのは、厳しい顔つきの武装兵や役人の一団ではなかった。久しぶりの再会に、顔いっぱいに笑みをたたえた、ナポリ王の二男フェデリーコだったのである。

まだ若年の王子は、ロレンツォとは旧知の仲だった。それに、年上のロレンツォに、憧《あこが》れに似た尊敬の念さえいだいていた。また、長男のアルフォンソは粗野なだけの武将だったが、二男は、ロレンツォに憧れるほどだから、学問や芸術に関心が深く、洗練された趣味の持主だった。ナポリ王フェランテは、この王子に、ナポリ滞在中のロレンツォの接待を命じたのである。他にも、ナポリ王の宮廷には、ロレンツォとは旧知であり、趣向も同じくする幾人かの高官がいた。

しかし、老獪《ろうかい》なフェランテは、簡単にはロレンツォに満足を与えなかった。いや、もしかしたら、王自身も迷っていたのかもしれない。ロレンツォを生かすか殺すかを、決めかねていたのかもしれない。王とロレンツォの会談の内容は知られていないが、この二人以外には想像するしかないまま、最初の一ヵ月が過ぎる。そして、次の一ヵ月も過ぎた。ただ、ロレンツォは、王との会談の経過にだけやきもきしながら、ナポリ滞在をつづけていたわけではない。フィレンツェ近郊にもつ二つの別荘を抵当に入れて調達した莫大《ばくだい》な額の金《かね》を使っての、民意対策も忘れなかったのである。

ガレー船の漕《こ》ぎ手に使われていた百人の奴隷《どれい》を買いとって、自由を与えてやったり、貧乏な娘たちに、持参金を援助することもした。病院にも寄附を忘れず、祭りがあれば、多量の葡萄酒《ぶどうしゅ》を提供する。寛大な君主を印象づけるための策だが、贈り物に埋まって喜ぶのは、女だけではないからだった。

そのうえ、ロレンツォには、格好の協力者もいた。ナポリ王の長子アルフォンソに嫁いできている、ミラノ公の伯母のイッポーリタで、ロレンツォよりは幾つか年上のこの夫人は、教養の高さで、当代一流の教養人ロレンツォの相手を立派につとめられる女だった。ナポリ湾を眼下に望む彼女の別邸が、ロレンツォ主役のサロンに早変りする。ナポリの宮廷人にとって、ここに招待されることは、大きな名誉になった。

しかし、王との交渉は、なかなか決着にむすびつかない。ロレンツォを狩や夕食会に招きながら、王は、最後の言葉を言おうとしないのである。ロレンツォも、ナポリ滞在の三ヵ月が過ぎようとする頃になると、人々の前では悠然と振舞っていても、一人になると沈んだ顔つきを隠せなかったようである。

だが、芸術家は、意外と忍耐強いものなのだ。自分が意図したことを実現させるのに、常人ならば想像もつかないような忍耐力を発揮する。といって、ただただ手をこまねいて待つわけではない。待ちつづけながら、なにが敵を逡巡《しゅんじゅん》させているかをつきとめ、それを見つけたとたんに勝負にでる。理《ことわり》が通じ合う相手であった王フェランテのためらいは、法王シストとの同盟を破るにしても、ナポリ側が望んで破棄したという形になっては、今後のナポリ王国と法王庁との関係に問題が残る、というものだった。

ロレンツォは、提案した。もはや待ちきれないと公言して、ロレンツォはナポリ港を発《た》つ。その彼の乗った船がガラタの沖合にさしかかった頃に、王の使者の乗った船が追いつく。そして、ロレンツォに、もう一度ナポリにもどって会談を再開してほしいという、王の意を伝える。ロレンツォは、だが、実りのない交渉をこれ以上つづけることは、目下は休戦中とはいえ敵軍に迫られている祖国フィレンツェを思えば、許されることではない、と言って断わる。そして、実際はゆっくりとにしても、船の北上をつづけさせる。その間に、いったんナポリにもどって王の指示をあおいだ使者は、今度は快速船を駆ってロレンツォの船を追い、ロレンツォがリヴォルノの港に下船した頃を見計らって彼に追いつき、ナポリ軍、対フィレンツェの戦線より離脱、という王の決心を伝える。

とまあこんな具合のことを、ロレンツォは王に提案したにちがいない。ちがいないと書くのは、これを実証する史料が残されていないからである。だが、史実は、まったくこのとおりに進行したのだった。そして、この私の推理のもとになったのは、ロレンツォの行きと帰りに要した航海日数の、説明不可能な差である。

要するに、ロレンツォは、ナポリ王の顔を立てたのだ。だが、相手の顔を立てつつ自分が実をとるのは、外交の基本でもある。

ロレンツォのリヴォルノ港帰着は、一四八〇年の三月十三日である。フィレンツェ到着は、二日後の十五日だった。

フィレンツェの市民は、ロレンツォを、まるで凱旋《がいせん》将軍のように迎えた。古代ローマの将軍のように四頭立ての戦車を駆っての凱旋ではなかったが、それに優《まさ》るとも劣らぬ、市民たちの肩車にかつがれての帰還である。彼の周囲に歓喜の声をあげて群がる市民があまりに多く、友人たちでさえ、なかなかロレンツォに近づけないくらいだった。

マキアヴェッリも後に書くように、フィレンツェの市井《しせい》の人々は、ロレンツォに、一身を犠牲にしてまで国家と国民のために平和をかち取ろうと努めた、理想的なリーダーを見いだしたのである。ロレンツォは、勝ったのだった。

だが、思いもよらぬ不祥事が起った。ナポリ王フェランテの長子でカラーブリア公と通称されたアルフォンソが、自ら指揮していたフィレンツェ攻略のナポリ軍を、父王の命に反して、フィレンツェ近郊から引き払おうとしないのである。いや、王には引き払うと伝えるのだが、実際には、トスカーナの野にとどまったままなのだ。フィレンツェ共和国領内深く入った既成事実を、簡単に放棄する気になれなかったのであろう。これにはロレンツォも、再び厳しい顔つきにならざるをえなかった。

しかし、ロレンツォは、あくまでも運の強い男だった。まさにその時期、マキアヴェッリの筆を借りれば、

——天までがロレンツォに味方するかのような——事件が勃発《ぼっぱつ》したのである。

この年、一四八〇年の七月、七千の兵を乗せたトルコ艦隊が、はじめて南イタリアに接近した。一四五三年のコンスタンティノープル陥落以来、戦うところ敵なしの観で勢力拡大に邁進《まいしん》していたスルタン・マホメッド二世は、ビザンチン帝国を滅亡させたのが自分である以上、ビザンチン帝国の旧領土に対する主権も自分にあるという理由で、四百年前にさかのぼればたしかにビザンチン帝国領であった、南イタリア攻略を決意したのである。

トルコ軍は、長靴に似たイタリア半島のかかとにあたる、オートラント近郊の海岸から上陸する。八月十一日、海港都市オートラントは、二万二千の住民の半分を殺されて陥落した。殺されなかった者は、奴隷に売られた。

これは、南イタリアを領するナポリ王国にとっては、一大事件だった。それまでは言を左右にしてフィレンツェ近郊に居坐りつづけていたカラーブリア公も、それどころではなくなった。八月末、ナポリ軍全軍を率いて、急ぎオートラント奪回に南下したのである。トルコ軍は、年内はオートラントの前線基地化を図りながら、年が変れば、大軍とともに到着するスルタンを待ち、いよいよイタリア征服に乗り出すという噂《うわさ》も流れていた。ロレンツォは、この好機を逃す男ではない。ナポリ軍が引き払った後のフィレンツェ共和国領を、傭兵《ようへい》隊を送って固めてしまったのである。

トルコ軍襲来で眼が覚めた想いであったのは、ナポリ王国だけではなかった。ローマの法王シスト四世も、フィレンツェ攻略どころではなくなったのだ。スルタン・マホメッド二世の、ローマの聖《サン》ピエトロ広場の噴水でトルコ兵の軍馬が渇きをいやすようになるだろう、という言葉を伝え聴いた法王は、眠れなくなってしまった。ロレンツォは、この好機も逃さなかった。ただちに、法王庁国家とフィレンツェ共和国の講和を、法王に求めたのである。

この時もロレンツォは、相手の「顔を立てる」ことを忘れなかった。イスラム・トルコの来襲に際し、キリスト教諸国は団結して立ち向わねばならず、その首唱者は、ローマの法王をおいてはない、という大義名分をかかげたのである。これならば、法王も乗れる。

その年の十二月三日、フィレンツェ共和国の指導的な立場にある人々からなる代表団が、ローマに到着した。ロレンツォは、加わっていない。法王は、聖《サン》ピエトロ大寺院で彼らを迎える。代表団の人々は、法王の前にひざまずき、形ばかりにしても、フィレンツェ共和国が法王に対して行った不行跡を謝罪した。法王も、まだ怒りを隠しきれないでいたのだが、それでも、ひざまずく代表団の一人一人の肩を告解杖で軽くたたき、公式に、フィレンツェ共和国に対する聖務禁止処分を解き、祝福を与えた。フィレンツォ個人に対する破門は解かれたわけではないが、ロレンツォも、またフィレンツェ市民も、そんなことは後で始末すればよいと思っていたのである。代表団は、この和解の代償として、フィレンツェ共和国は対トルコ戦用に、十五隻《せき》の武装ガレー船を提供すると約束した。そして、フィレンツェにもどり、ロレンツォに、すべては計画どおりに終ったことを報告した。

しかし、もしもマホメッド二世の決意どおり、トルコ軍のイタリア進攻が実現していたならば、ロレンツォもフィレンツェ共和国も、ナポリ王や法王との問題解決を喜ぶやまもなく、それどころではない重大な危機に直面せざるをえなかったであろう。だが、「天までがロレンツォに味方するかのよう」になったのは、まだ五十歳にも達しないマホメッド二世が、翌一四八一年の五月三日、突然に死んだからである。

この情報をヨーロッパで最も早くつかんだのは、この時もヴェネツィアで、ヴェネツィア政府は、五月末にすでに、ローマ駐在の大使を通じて法王に知らせている。そして、同じ頃、南イタリアにがんばっていたトルコ軍も、潮の引くように去って行った。事情に通じていない南イタリアの住民は、戦いに負けたわけでもないのに、なぜ異教徒が立ち去って行くのかわからなかったほどである。ナポリ王もほっとしたろうが、ローマの法王も、ようやく安眠できるようになったのだった。とくをしたのは、ロレンツォである。十五隻の武装ガレー船の提供という義務も、ウヤムヤになった。

六月早々、法王シスト四世は全キリスト教徒に対し、「キリストの敵」の死を祝って、三日間教会で感謝の祈りを捧《ささ》げるよう指令した。教会という教会の鐘は、祝いの鐘の音を一日中鳴りひびかせ、教会の中は、感謝の祈りを捧げる人々で埋まった。フィレンツェでも同じだった。いや、フィレンツェは、どこよりも陽気に感謝を捧げたと言うべきかもしれない。教会の前の広場では、ミサを終えてでてきた人々が自然に踊りの輪をつくることさえ起った。

フィレンツェ人は、ナポリ王の許に乗りこんで直談判《じかだんぱん》におよんだロレンツォの成功は、ロレンツォ個人の力量《ヴィルトウ》によるものであることはわかっていた。また、トルコ軍来襲とそれにつづいて起ったスルタンの死は、ロレンツォの力量《ヴィルトウ》ではなく、彼の好運《フォルトゥーナ》によるところが多いこともわかっていた。しかし、だからといって、ロレンツォ・デ・メディチの功績を、差し引いて考えるようなことはしなかったのである。ロレンツォに対する市民の評価は、この時の「キリストの敵」の死によって完璧《かんぺき》になった。

人間は、運に恵まれない人に対して同情はするが、幸運に恵まれつづける者のほうを好むものである。

それはなにも、寄らば大樹の陰、などという安易な気持からではない。個人個人は諸々の「神のくだされる試練」と闘う毎日を送っている彼らにしてみれば、それをしないですんでいるらしい「神の愛したもう者」を見るほうが、救われる気分になるからである。

ナポレオンは、同程度の才能をもつ将軍が二人いれば、運の強いほうを登用したそうだが、人間がなにかをしようとする場合、いかに優れていても才能《ヴィルトゥ》だけでは充分でなく、運《フォルトゥーナ》というものが大きくものを言うことを理解している者は、マイノリテイにすぎない。しかし、マジョリティも、人間心理のごく自然な発露としても、運の強い者を好む傾向は共有しているのである。ロレンツォは、理想的なリーダーとして、彼らの胸に固定したのであった。

ロレンツォ・デ・メディチは、祖父コシモが生涯守りぬいた一市民的生き方を、踏襲しようとはしなかった。いや、踏襲する必要もなかった。彼は、まぎれもない君主となったのである。共和政は保ちつづけても、彼以上に、市民の支持を享受《きょうじゅ》できるライヴァルはもはや存在しなかった。ロレンツォが、いかにもロレンツォらしくそれを享受したことは、身の安全に絶対の自信をもっていたらしい彼の行動にもあらわれている。とりまきの学者や芸術家を引きつれて、フィレンツェの街中の居酒屋をハシゴして歩くメディチ家の当主は、護衛の兵を従えることを拒否しつづけた。

しかし、フィレンツェっ子の気の変りやすさにあらかじめ手を打っておく必要は、祖父と同じく感じていたようである。ヴェネツィアの元老院《セナート》に似ていなくもない「七十人委員会」を設立させ、政府の役職は、この委員会に属す委員か、この委員会が選出する者にまかされることになった。「七十人委員会」の任期は、一年が通例であったフィレンツェでは異例にも、五年である。そのうえ、委員のほとんどは、ロレンツォが陰ながら動かすことが可能な人々で占められた。必ずしもメディチ好きとはいえなかった、同時代人の一人はこう書いている。

「たしかに彼は、専制君主であった。しかし、快適《ピアチエーヴオレ》な専制君主であった」

対外関係でも、ロレンツォは、欠くことのできないリーダーになっていた。法王シストとの衝突の原因であったロレンツォなりの勢力均衡政策を、ヴェネツィア共和国もナポリ王国も、そしてその頃はまだミラノ公国も、現時点で望みうる最上の政策と認めていたからである。

イタリアは、平和を必要としていた。イタリアの中で争っていて、国内統一をなしとげつつあるフランス、スペイン等の他国に、侵略の口実を与えてはならなかった。ロレンツォの死までの十年間、局地戦争的な争いは三度ほど起ったが、それらも、ロレンツォの仲介で収まった。

イタリア内の列強の中で一つだけ、ロレンツォの政策に賛同しなかったのが、法王庁である。だが、ロレンツォを敵視しつづけた法王シスト四世も、一四八四年には死んだ。

代わって法王に即位したのが、インノチェンツォ八世である。ロレンツォは、この法王を味方につけることで、フィレンツェとローマの関係を改善しようとした。自分の娘の一人マッダレーナを、新法王の息子フランチェスケット・チボーと結婚させたのである。

人間には、いかに好運《フォルトウーナ》に恵まれたスタートをした者でも、才能《ヴィルトウ》もないし野心もない人物がいる。また、才能はないが野心だけはある人物もいる。そして、才能もあれば野心もある人物が最後にくる。

歴代法王の甥《おい》や息子を例にとれば、シスト四世の甥ジローラモ・リアーリオは、分類の二番目に属す。後にマキアヴェッリと密接な関係をもつことになる、アレッサンドロ六世の息子チェーザレ・ボルジアは、分類の三番目に該当するだろう。だが、フランチェスケット・チボーは、一番目に入る男だった。舅《しゅうと》のロレンツォも、勢力均衡による平和の維持を大目的とする以上、娘婿《むすめむこ》に領国を与えるために力をつくすなど問題外である。そして、ロレンツォにとっては幸いにも、法王インノチェンツォ八世も、この種の野心には無縁の人物であった。フランチェスケット・チボーは、舅から贈られたフィレンツェ市内の美しい宮殿で、おだやかな日々を過ごし、寝床の上で死ぬことができた。

ちなみに、パッツィの陰謀の首謀者の一人でもあったジローラモ・リアーリオは、ロレンツォが密《ひそ》かに煽動《せんどう》して起した部下の反乱によって、一四八八年に暗殺される。後ろだての法王シストが死ぬのを待って行われたために、ロレンツォの復讐《ふくしゅう》は、十年後にしてついに完成したのであった（この事件に関しては、『ルネサンスの女たち』第三部の、カテリーナ・スフォルツァの項にくわしい。ただし、十五年前の私は、まだロレンツォの対外政策を深くは理解しないで書いている）。

国内国外ともに、自らの思うままにことが運んでいるかにみえたロレンツォにも、泣きどころがないわけではなかった。メディチ財閥の経済状態の悪化と、彼自身の健康状態の悪化である。

メディチ家の経済力の衰退は、それまでは経済大国であったイタリアの経済が、大きな曲がり角に立つことになった時期とときを同じくしたからだと言っても、弁護にはならない。ロレンツォの経営能力の欠如は、市井の一商人の眼すらも欺《あざむ》けなかったのである。だが、はたして、ロレンツォにこの面の能力が完全に欠けていたのであろうか。それとも、他の多くのことに関心が向けられていくにつれて、私財の運用にだけは、関心が向かなくなってしまった結果と言ったら、弁護のしすぎであろうか。

ロレンツォは、早期にモトをとることさえ重視しなければ、投資の名人であった。莫大な額を有効に使うのは、それ自体ですでに立派な才能である。だが、それも、財源があるかぎりは他に迷惑をかけずに行えるが、ロレンツォは、財源が底をつくようになっても、以前のやり方を変えなかったのである。親族の財産に手をつけている間はよかったが、そのうちに、フィレンツェ共和国の公金にも手を出すようになった。おかげで、ロレンツォの死後、メディチ家は、七千五百フィオリーノにおよぶ大金の返済の義務を負うことになってしまう。メディチ銀行が破産したのは、ロレンツォの死後二年を経た、一四九四年であった。

だが、ロレンツォの生きていた間は、彼のこの晩年の公私混同を、フィレンツェ市民は声高らかに非難しようとはしなかった。彼らは、それまでにロレンツォが、どれほどの私財を国のために費消したかを知っていたからである。これらはすべて、フィレンツェの利益になって返ってきていた。フィレンツェは、知的関心を少しでももつヨーロッパ人ならば、どこよりも憧《あこが》れる都になっていたのである。

しかし、絶対額の不足はなんとしても、学問芸術の「助成」の手足をしばることにつながる。ロレンツォ自ら発注した芸術品は、祖父コシモのそれに比べれば驚くほど少ない。彼の時代に創《つく》られた芸術作品をみても、有名な『プリマヴェーラ』をはじめとして、作品の多くは、他のフィレンツェ人の注文によるものである。建築物のほとんどは、祖父コシモの代に建てられたものだし、ミケランジェロを若い頃から自邸に引きとり、その成長に力を貸したのはロレンツォとしても、レオナルド・ダ・ヴィンチは、自ら紹介状を書いて、ミラノ公の許《もと》に送っている。あの天才を、なんらかの手段を講じてフィレンツェで仕事させようと努めた様子は、まったくみられない。フィレンツェ出身の芸術家たちは、ローマをはじめとする他国で、活発に仕事をするようになっていったのだった。

とはいえ、これは、ロレンツォ時代のフィレンツェが、学問芸術を理解する心を失ったこととは結びつかない。文明文化の「輸出」は、当時、ヴェネツィアでも大変に重視されていた。フィレンツェが、文明文化の中心であるという評判によって、政治軍事的にどれほどトクをしたか。また、ティツィアーノやベッリーニが肖像画を描くことが、ヴェネツィアにとって、どれほどトルコやスペインの大国との関係保持に役立ったことか。

しかし、この一見衰退とみえる現象を、後世の美術史家たちは、フィレンツェをフィレンツェたらしめたのはコシモ・デ・メディチであり、ロレンツォではない、とする根拠にしたがる。ハードなモノとしてならば、たしかにそうであろう。だが、いかに他国で良い仕事をするようになっても、育ったのはフィレンツェである。ロレンツォが私財でまかなった、そして誰でも自由に入れた、ロレンツォ所有の古代彫刻を集めた庭園や、古代の書物を一般公開した図書館が、彼らを育てたのである。そして、彼自身のふところからは払われないにしても、他の有力家族たちが発注するように、口をきいたのもロレンツォだった。意見をきかれるたびに、こういうものをつくってはどうかと助言を与えている。

ロレンツォが、権力者だからというわけでなく、人々をも納得させるだけのセンスの持主であったからである。十五世紀も末になっても、フィレンツェには、創作意欲を刺激し、その実現を助ける雰囲気が完全に存在したのだ。そして、その中心は、ロレンツォ・デ・メディチであった。もしも、このロレンツォに責められるところがあったとしたら、それは、彼自身が、「芸術家」であったことだろう。芸術家は、あまりに自らの個性というか趣向というかがはっきりしているために、芸術の理想的なパトロンにはなりにくいものなのである。

しかし、この「芸術家」は、詩作となると、カッコつきでない芸術家であった。散文でも、十九世紀の美文調のほうが古びてみえるほどの名手である。イタリア文学史を論じて、ロレンツォ・デ・メディチをはずすわけにはいかないのではないだろうか。今日でも全集が刊行されていて、詩文散文評論を合わせて、三巻におよぶ。また、ロレンツォの文体は、韻文散文を問わず平易明快で、書き手の頭脳の明晰《めいせき》さをあらわしているのが特色である。

現代イタリアに、イタリア古文の現代語訳というものは存在しない。ために、私も、日本人から、五百年も昔の史料を読むのは大変でしょう、と感心されるたびに、なんとも複雑な気分にさせられる。大変なのは、中世風に変型したラテン語や、現代イタリア語とは相当にちがうヴェネツィア方言の場合で、フィレンツェに関するかぎり、大変だなどと言ったら、イタリアの小学生に笑われるからである。

現代イタリアの標準語は、フィレンツェやシエナを中心とするトスカーナ地方の、言ってみれば方言が、主体となってできている。ところが、このトスカーナ方言たるや、ダンテやボッカッチョやロレンツォやマキアヴェッリのおかげで、あの時代にすでに完成してしまっていて、それが今日まで引きつがれてきたというにすぎない。もちろん、古めかしい言いまわしというものは、相当にある。だが、それも、「注」をつければ解決する程度のものである。つまり、日本人が思い浮べるたぐいの古文ではない。

だから、七百年昔に書かれたダンテの『神曲』も、現代語訳の必要はないのである。地獄篇の冒頭の部分などは、小学校四年で暗記させられる。ロレンツォ・デ・メディチのかの有名な詩は、小学校五年で暗記なのだ。

この詩は当時でも愛唱されたものだが、フィレンツェのある映画館では、スクリーンの上の壁面に彫られてあった。もちろん、原文のままである。小学校五年に在学する（一九八五年現在）わが息子にきいてみたら、『神曲』は面白かったが、ロレンツォの詩のほうは面白くない、ということだった。『神曲』は一種のSFといえないこともないから、『E・T』や『スター・ウォーズ』と同じ感じで愉《たの》しんだのであろう。ロレンツォの詩を、面白くないとするほうが当り前である。この詩が、十歳の子供にわかってたまるものか。また、この詩がつくられた頃は二十歳前後であったマキアヴェッリでさえ、意味はわかっても、胸に訴えかけてはこなかったにちがいない。なぜなら、この詩は、死をみつめはじめた人間にして、はじめてつくれる作品だからである。晩年のロレンツォは、メディチ家の男たちを総なぎにした、痛風に苦しんでいた。

『バッカスの歌』と題されたこの詩は、謝肉祭のために書かれた歌である。詩は八番までつづくが、最も有名な一番、五百年後の映画館にもかかげられている、一番だけの紹介にとどめる。

Quantè《クアンテ》 bella《ベッラ》 giovinezza《ジョヴィネッツァ》,
che《ケ》 sia《シ》 fugge《フッジェ》 tuttavia《トゥッタヴィア》,
Chi《キ》 vuol《ヴォル》 essere《エッセレ》 lieto《リエト》, sia《シア》:
di《ディ》 doman《ドマン》 non《ノン》 cè《チェ》 certezza《チェルテッツァ》

強《し》いて訳せば、次のようになる。

青春とは、なんと美しいものか
とはいえ、みるまに過ぎ去ってしまう
愉しみたい者は、さあ、すぐに
たしかな明日は、ないのだから

まったく、われながら下手な訳である。同じ詩であっても、ストーリー豊かな『神曲』ならば、原文のリズムを生かしながらの翻訳だって可能なのだ。日本語であろうと英語であろうと現代語に訳したほうが適切であると思う、マキアヴェッリの文章などはよほど簡単にいく。それが、ロレンツォの詩となると、抒情詩《じょじょうし》だけに困ってしまうのだ。それで、お手あげついでに、以前からいだいていた想像を披露してみる気になった。

この推理の根拠は、ロレンツォのこの詩《うた》が、フィレンツェにとどまらずにヴェネツィアでも大流行し、ヴェネツィアではとくに、ずいぶんと後代になっても、謝肉祭中は欠かせない歌になっていたという事実である。それを、上田敏か誰か、ヴェネツィア旅行をした日本の文人が聴き知り、日本にもどってきて話したのが、吉井勇にヒントを与えた、とまあこんな具合である。『ゴンドラの唄《うた》』と題されたのも、ヴェネツィア経由であったからではないかと……。

いのち短し　恋せよ乙女
紅《あか》きくちびる　あせぬまに
熱き血潮の　冷めぬまに

明日の月日は　ないものを

大意ならば、同じではないか。ロレンツォだって、この日本語訳を知れば、感心するのではないかと思う。とはいえ、人間は、同じ情況になれば同じようなことを考えつくものだから、吉井勇の完全な創作かもしれない。大正時代に流行《はや》ったというこの歌を、私がはじめて知ったのは、黒澤明監督の『生きる』を観《み》たときだった。

八番まであるロレンツォの詩のほうは、一番で歌われた最後の二行が、他の七番でも、必ず終りでくり返される構成になっている。このつくりからして、ゆっくりとしたバラード調で歌うのも、ふざけ気分で軽快に歌うのも、両方とも可能だったのではないかと思う。吉井勇のものとなると、中山晋平のメロディでなくてはならないような気がするが。

最後の一、二年は、持病の痛風に苦しみ、手紙を書くのも苦になるほどだったというロレンツォ・デ・メディチは、一四九二年に死んだ。四十三歳になったばかりだった。

マキアヴェッリは、その年、二十三歳になっている。この年齢に達していれば、それから二十八年後に書いたとしても、「現場証人」の証言と考えてさしつかえないであろう。

マキアヴェッリは、『フィレンツェ史』で、ロレンツォ・デ・メディチをこのように結論づけた。少々長くなるが、その箇所全文を紹介したい。

——フィレンツェ人は、ロレンツォ・デ・メディチが死ぬ一四九二年までは、最大の幸福の中で過ごした。なぜなら、ロレンツォは、彼自身の思慮と彼自身の権威によって、イタリア内の戦いを芽のうちにつみとることに成功したからである。

彼の全関心は、彼自らと彼の国を偉大にすることに向けられた。長男のピエロには、ローマの豪族オルシーニ家のアルフォンシーナを妻に迎え、二男のジョヴァンニには、枢機卿の地位を得られるよう努めた。ジョヴァンニは、枢機卿に昇格した時は十四歳にも満たなかったのだから、これは異例の成功というべきだろう。そして、この成功は、後の誉れに通ずる道を開いたのである（ジョヴァンニは、一五一三年、レオーネ十世として法王に選出される）。ただ、三男のジュリアーノは、父の死の年にはまだ幼く、父の思慮の恩恵に浴すことはできなかった。

娘たちは、一人はヤコポ・サルヴィアーティに嫁ぎ、二人目は、フランチェスケット・チボーに嫁ぎ、三人目は、ピエロ・リドルフィに嫁がせている（サルヴィアーテイもリドルフィも、フィレンツェの有力家系)。四番目は、メディチ家の一員に嫁いだが、若くして死んだ。

ロレンツォの私的な面について述べれば、商売《メルカンツイア》ではまことに不運であったと言わねばならない。その原因は、彼が実際の仕事をまかせていた、各地の支店長たちのだらしなさにあった。支店長たちは、私企業の経営者としてよりも、国営事業の運営者のように振舞ったからである。おかげで、西欧各地に投資されていた、メディチ家所有の莫大な動産の多くは失われた。……(中略)……

彼は、フィレンツェを、より美しくよりすばらしい都市にすることに関心を払った。まだ街中には住居が建てられていないで空いていた土地があったが、そこも、新しい道路と建物で埋まるよう命じた。それによって、フィレンツェは、まことに美しくまことにすばらしい都市に変貌《へんぼう》したのである。

そして、フィレンツェ共和国の人々が平和に過ごせるようにと、敵の侵略に対しても手段を講ずることを忘れなかった。ボローニャとの国境は、アペニン山脈中にフィレンゾーラの要塞《ようさい》を築いて守りを固め、シエナとの国境は、ポッジオ・インペリアーレを再建して防衛の要《かなめ》とし、ジェノヴァに対しては、ピエトラサンタとサルザーナの町を購入して、国境の守りを増強した。

また、友好国に対しても、経済援助を駆使しての、関係確保を忘れなかった。ペルージアの僭主《せんしゅ》バリオーニ、チタ・ディ・カステッロのヴィテッリ、とくにファエンツァのマンフレディに対しては、特別の配慮で対したものである。結果としてこれらの小国は、フィレンツェ共和国を守る堅固な「砦《とりで》」となった。

このようにしてフィレンツェに平和をもたらすことに成功したロレンツォは、フィレンツェを祝祭の都にすることにも熱心だった。馬上槍試合はしばしば開かれ、演劇も、現代物から古代の凱旋劇《がいせんげき》まで、一年中、どこかでなにかが上演されているという状態だった。フィレンツェの街はすべての意味で豊かになり、下層階級と上流階級も、調和の中で争いもなく生きるようになった。

また、ロレンツォは、それがいかなる表現形式をとろうとも、見事ですばらしいものならば、このうえなく愛する男だった。

文学者に対しても、惜しみなく支援した。アンジェロ・ポリツィアーノ、クリストフォロ・ランディーニ、ギリシア人のデメトリウスらのあげた業績は、それを実証している。とくに、ピコ・デッラ・ミランドラは、特筆にあたいするだろう。この、神にも似た才能の持主は、ヨーロッパの各都市を知っていながらそれを捨て、ロレンツォの偉大さに魅了されて、フィレンツェに移り住んだのである。

15世紀末のフィレンツェ

建築でも音楽でも詩でも、ロレンツォは、驚くほどに愉しむことができる男だった。詩文の多くは、ただつくられただけではない。自ら論評もしている。

そして、フィレンツェの若い人々が、より高度な学問に接することができるようにと、ピサに大学を再建し、望みうる最高の学者たちを招聘《しょうへい》した。また、フィレンツェ人の宗教心の導き手としての説教僧に、アゴスティーノ派のマリアーノ・ダ・ギナッツァーノを招《よ》び、彼を主体とする修道院も建てた（これは、説教僧として評判になりつつあった、ドメニコ派のサヴォナローラに対抗させるための策であったようである）。

ロレンツォくらい、好運《フォルトゥーナ》と神より

愛された者はいないであろう。彼がなしたすべての仕事は、幸福なる結果で終わり、彼の敵はすべて、不幸な終りをとげた。パッツィだけでなく、その他の敵たちも、例外ではない。

この彼の生き方は、慎重《プルデンツァ》さと好運《フォルトウーナ》に彩《いろど》られた彼の生き方は、彼が登場した当初より、イタリアだけでなく遠方の地に住む人にさえも、感嘆と尊敬をおぼえさせずにおかなかったことは知られた事実である。ハンガリー王は、ことあるごとにそれを示したし、トルコのスルタン・マホメッド二世は、パッツィの乱の際のジュリアーノ殺しの下手人であるバンディーニがトルコの首都に逃亡してきたのを捕えて、要請を受けたわけでもないのにフィレンツェに送り返した。イタリア内でも、ロレンツォの冷静と慎重がことを解決するたびに、彼の名声は高まった。ロレンツォは、難題を、賢明にすばやく、しかも大胆に解決したからである。

とはいえ、彼には、力量《ヴィルトウ》に汚点を与える不徳もなかったわけではない。ヴィーナスの方面には、生涯を通じて熱心であったし、男に対しても、ふざけたりからかったりするのが好きだった。また、彼の好んだ子供っぽい気まぐれは、彼のような立場を占める者には、ふさわしい行為とは思われなかった。しばしば、子供たちに混じって遊ぶところを、他人に見られている。

快楽的で社交的な面と、厳しい思索的な面の、両方ともをもった男であった。彼の中には、互いにまるでちがった二人の人間が住んでいるかのようだった。それは、ロレンツォの場合、互いに結合不可能なものが結合している感じを与えた。最後の数年は、病いに苦しめられた。胃が、悪かったのである。このために、一四九二年四月八日に死んだ。四十三歳だった。

彼の死ほど、フィレンツェだけでなくイタリア中に、悲嘆で迎えられたものもないであろう。彼の死が、それ以後の大きな不幸のはじまりとなるのを暗示するかのように、天も、いくつかの明らかな前兆を示しさえした。サンタ・マリア・デル・フィオーレのあの高い円屋根の上にのっていた尖塔《せんとう》が、雷光にうたれて落下し、破壊されたのである。これに、驚き怖《おそ》れない者はいなかった。

ロレンツォの死によって、フィレンツェではすべての人が、イタリアではすべての君主が、悲嘆にくれた。彼らは、悲嘆にくれる理由があったのだ。それは、ロレンツォの死後まもなく、あらわれてくる。

イタリアは、唯一《ゆいいつ》の権威ある助言者を失ってしまったのである。もはや、残された人々には、ミラノ公の摂政ルドヴィーコ・スフォルツァの野心を、抑《あ》制できる者はいなかった。このスフォルツァは、ロレンツォの死後まもなく、あの悪しき種をまきはじめることになる。そして、その種から生れた災いは、もはや誰もそれを消す人がいないままに燃えひろがり、イタリアを破滅させる源になったのであった。——

ロレンツォ・デ・メディチが、「イル・マニーフィコ」偉大な人、と呼ばれた真の理由を、マキアヴェッリは、単なる歴史家など足許《あしもと》にもおよばない美しさで描いている。まったく、こうも書かれると、ロレンツォ以上に理想的な君主は、見つけるのもむずかしいと思うくらいだ。しかも、マキアヴェッリは、これを書く七年前に、『君主論』を書いた人間である。『君主論』の中でこのロレンツォに多く筆がさかれていたとしても、当然だと思うほうが当然ではないか。それが、ちがうのである。

『君主論』中に、ロレンツォに言及した箇所は一ヵ所もない。『君主論』は、君主政を論じたものであるから、いかに事実上では君主でも共和政体をとっていたフィレンツェの「君主」では、論ずる対象になりえないというかもしれない。それならば、『政略論』ではどうなのか。日本では『政略論』という訳で定着しているこの作品は、共和政を論じたものである。『政略論』の中でならば、ロレンツォの活躍場面は、あれほど『フィレンツェ史』の中で賞讃されている以上、多くあっても不思議ではないと思われる。ところが、これもちがうのだ。

『政略論』中、ロレンツォが登場してくるのは、五ヵ所だけである。それも、
第一は、ロレンツォの死の直後に教会の尖塔が雷光にうたれて落下したこと。

第二は、パッツィの陰謀を述べている箇所。

第三は、これまた、パッツィの陰謀。

第四も、パッツィに関係してであり、
最後の五番目になってはじめて、共和国の指導者らしいロレンツォが登場する。

——ロレンツォ・デ・メディチも、このような考え方に同感で、次のように言っている。「君主の行いのままに、民衆も行動する。なぜなら、人々の眼はつねに、君主その人にそそがれているからである」——

これで、すべてなのだ。『フィレンツェ史』ではあれほどの讃辞を捧《ささ》げられたロレンツォが、君主政であろうと共和政であろうと、リーダー論でもある『君主論』や『政略論』で、なぜこれほども冷遇されねばならなかったのか。

なぜ『君主論』のモデルは、ロレンツォ・デ・メディチではいけなかったのか。

ロレンツォの晩年に起った少しばかりの公金横領に、マキアヴェッリが神経をとが

らせたとは思えない。マキアヴェッリは、君主に、モラルを求めてはいない。モラリスティックに振舞うほうが民衆操作に有効ならば、その振りをせよ、と言っているだけである。また、ロレンツォの恵まれた環境とスタートに、以後の業績も割引いて評価すべきであるなどという、凡百の政治学者や歴史家の偏見からも、マキアヴェッリは自由であった。他より恵まれた環境は、その人の好運の一つであると思っていた。好運に恵まれながらも、力量《ヴィルトウ》をもたなかったがゆえに好運さえ活用できなかった人間を、あまりにも多く知っていたからであろう。

これからみても、ロレンツォが、『君主論』のモデルであってはいけない理由は、まったくないように思える。それなのに、モデルになっていない。モデルにされなかっただけでなく、あの文中に何十と登場する人物の、一人にさえ加えられていない。『君主論』のモデルは、チェーザレ・ボルジアであった。ロレンツォと比べれば、比較もできないくらいに教養の低い、そのうえ、自己の野望実現しか考えなかった、しかし、力量《ヴィルトウ》と好運《フォルトゥーナ》には恵まれていた、チェーザレ・ボルジアだったのである。なぜなのか。

ここに、『君主論』が、マキアヴェッリの思想のエッセンスである『君主論』が、なぜ書かれたかを解く鍵《かぎ》が隠されている。そして、それさえわかれば、マキアヴェッリはわかったも同然だ。

しかし、同じフィレンツェ人としてみれば、微笑なしには考えられないほど、ロレンツォとマキアヴェッリは似ていたと思う。

一国の指導者に対しての論評なのだからわからないでもないが、マキアヴェッリが、ロレンツォの「不徳」として述べている箇所など、よくもまあぬけぬけと書けますね、と言いたい気持になってくる。

女に惚《ほ》れてばかりいたのは、マキアヴェッリである。男同士となると、ふざけたりからかったりするにとどまらず、しばしば、小学生などにはとうてい読ませられないようなことを、話したり書いたりしたのもマキアヴェッリである。馬鹿騒ぎ好きにいたっては、翌日は後悔で友人に顔も合わせられなかったのではないかと、他人事ながら思ってしまう。マキアヴェッリだって、快楽的であると同時に思索的だったのだ。一人の人間の中に、相反した二人の人間が棲《す》みついていたのは、マキアヴェッリとて同じだったのである。

ひっきょう、二人とも、生粋のフィレンツェ人であったのだろう。基本的に相反する二つの性向をもちながら、なおも力量を発揮しうる、芸術家であったのだ。フィレンツェが、ルネサンス発生の地になったのは、偶然ではない。フィレンツェ人特有のこのきらめきは、同じ文明圏に属しながら、ヴェネツィア人にはないものであった。マキアヴェッリは、『君主論』のモデルにはしなかったにしろ、ロレンツォ・デ・メディチという男に対し、共感するものが多かったのではないだろうか。そして、ロレンツォのつくったあの詩《うた》も、マキアヴェッリも同じ年齢に達した頃からは、心からの共感をもって口ずさんだのではないだろうか。

いのち短し　恋せよ乙女
紅きくちびる　あせぬまに
熱き血潮の　冷めぬまに
明日の月日は　ないものを

第五章　修道士サヴォナローラ

話は二十八年も先にとんでしまうが、『フィレンツェ史《イストリエ・フィオレンティーネ》』をマキアヴェッリが書くようになったのは、フィレンツェ政府から依頼されたからである。公式に、契約書まで取り交わしている。だが、政府が依頼するように仕向けたのは、ジュリオ・デ・メディチ枢機卿だった。一五二〇年のことである。

ジュリオは、パッツィの陰謀で殺された、ジュリアーノの庶子である。殺されたときのジュリアーノは独身だったが、その彼に生れたばかりの男子がいるのを知った兄のロレンツォが、この赤児を引きとり、メディチ家の一員として育てたのだ。だから、血のつながりからしても育った環境からしても、ジュリオは完全にメディチ家の男である。しかも、その一五二〇年当時、ローマの法王であったのは、ジュリオとはいとこ関係にある、ロレンツォの二男のジョヴァンニだった。

つまり、マキアヴェッリにフィレンツェの歴史を書くよう望んだのは、法王レオーネ十世に枢機卿ジュリオという、当時のメディチ家では最も重要な二人の男だったことになる。そのうえ、当時のフィレンツェは、一度は追い出されたメディチ家が復帰していて、公式には君主国ではなかったが、フィレンツェの政治の実権はジュリオ枢機卿がにぎっていた。このメディチ家が望んだのが、メディチにふれないでは書けないフィレンツェ史である。しかも、一五二〇年当時のマキアヴェッリは、メディチに認められることによって官職に復帰する希望を、捨てきれないでいた。

これほどまでに「悪」条件がととのっていたとなると、ごく普通に考えても、マキアヴェッリは、客観的な記述がむずかしい立場にあったのではないかということになる。実際、メディチ家を良く書いているのはそのためだとする、歴史研究者も少なくない。

しかし、これは、もの書きの心理を知らない者の言うことである。書くという作業が、どのような気概にささえられてなされるものかを、知らない者の言うことである。

まして、あの時代、書物は印刷されて広く読者を獲得できたわけではなかった。手写本で、まわし読みされたのである。マキアヴェッリの生前に、彼が自分の作品の印刷本をみることができたのは、『戦略論』一作にすぎない。生前にすでに評判の高かった『君主論』ですら、印刷本になったのは、彼の死後五年してからである。ということは、読者数はかぎられていたということだ。かぎられた少数の読者となれば、当然のことながら、相当に事情に通じていた者になる。この人たちの失笑の種になるかもしれないことを、もの書きならば誰が書けよう。

とはいえ、メディチ家のような強力なスポンサーを敵にまわすことは、当時のマキアヴェッリにとっては、文字どおりの愚挙であったにちがいない。もの笑いの種にならず、かといって愚挙も犯さず、となれば、少々の工夫は必要だ。マキアヴェッリの「工夫」は、自分に課された『フィレンツェ史』を、ロレンツォ・イル・マニーフィコの死で終らせることであった。

ロレンツォの死は、一四九二年である。マキアヴェッリが『フィレンツェ史』を書くのは、一五二〇年である。この二十八年間のうちのはじめの五年は、マキアヴェッリはまだ公職に就いていないにしても、二十三歳からの五年間である。眼をあけて生れてきた男が、なにも見ていないはずはない。

また、それにつづく十五年間は、彼が、フィレンツェ共和国大統領《ゴンファロニエレ》の右腕として、最高の情報に接していた時期である。彼ほど書くに適した人物もいない。それなのに、ロレンツォの死で筆をおいてしまったのだ。工夫でなくして、なんであろう。

ロレンツォの死後もずっとつづけて書くと、メディチ家を批判しないではすまないからである。レオーネ十世という法王は愉快だが、それでも、ロレンツォ死後のメディチ家の男たちは、良く書けば失笑を買うたぐいの男たちだ。フィレンツェ人の血以外の血が混入した結果ではないかとさえ、思ってしまう。かといって、正直に書けば、メディチの気分を害さないではすまなかったであろう。

だが、ほんとうに、もの笑いの種にもならず愚挙も犯さずに書くための工夫となると、両者ともを納得させるなにかがなくてはならない。マキアヴェッリのかかげた、『フィレンツェ史』をロレンツォの死で終らせる大義名分は、あの年以降、もはやフィレンツェは、イタリアの情勢に対しての主導権を失った、という事実だった。輝けるフィレンツェは、ロレンツォとともに去ったのである。

父が死んだ年、ピエロ・デ・メディチは、二十一歳だった。弟のジョヴァンニは、枢機卿にはなっていたが、まだ十六歳。三男のジュリアーノは、十四歳だ。だが、父のロレンツォも、大任を背負うことになったのは二十歳の年である。また、ピエロだって、イル・マニーフィコと尊称された父の遺産を、すべて継承したということでも、好運《フォルトゥーナ》に恵まれなかったわけではない。ひっきょう、力量《ヴィルトゥ》に欠けていたのであろう。「不運者《スフォルトゥナート》」という彼の渾名《あだな》は、少々点が甘すぎる感じさえする。

しかし、ピエロが、ほんとうの意味で不運者であったのは、ロレンツォ時代のフィレンツェ共和国という、ロレンツォ個人の圧倒的な個性によってのみ機能が可能であった、システムを受け継いでしまったことであろう。それなのに、ピエロは、あの父でさえやらなかったことを、はじめてしまったのだった。

メディチ宮殿が、政庁になった。年齢の若さから共和国政府の要職に就くことが許されなかった彼は、自分が政務をとることの許される場所に、政庁を移してしまったのである。これには、メディチ派であったフィレンツェ人まで、疑いの眼を向けるようになった。不快な想いを隠さなかった有力市民の中には、ロレンツォの姉と結婚していたからピエロには伯父でもある、ベルナルド・ルチェライがいた。また、ロレンツォのいとこの、パオロ・アントニオ・ソデリーニもいた。若年のピエロにとっては、足許《あしもと》が燃えはじめた想いだったかもしれない。そして、ピエロのような男の場合、不安は、ただちに動揺につながる。動揺したメディチ家の若い当主は、誤りに誤りを重ねることになった。

一四九二年四月八日、ロレンツォ・デ・メディチ死去。

同年七月二十五日、メディチとは最良の関係にあった、法王インノチェンツォ八世死去。

八月十一日、ボルジア家出身の新法王アレッサンドロ六世即位。


この時期、イタリア五列強の一つミラノ公国に、顔色の黒さからイル・モーロ（ムーア人）と渾名された、ルドヴィーコ・スフォルツァがいた。先代の公爵《こうしゃく》ガレアッツォの弟にあたる。一四七六年にガレアッツォが暗殺されたとき、世継ぎのジャンガレアッツォは九歳の少年だったので、それ以来ミラノ公国を統治してきたのが、摂政役のイル・モーロだった。彼が並以上の力量《ヴィルトウ》の持主であったことでは、史家の意見は一致している。フィレンツェを去った後のレオナルド・ダ・ヴィンチの、パトロンであったことでも有名だ。

この男は、摂政の地位に飽きたらず、正式にミラノ公国の主《あるじ》になる野心をあたためていた。ロレンツォの死は、この彼に、絶好の機会到来とうつったであろう。一四九二年といえば、病弱という理由でこれまでは国政に関与させなかった公爵ジャンガレアッツォも二十三歳である。イル・モーロは、四十一歳になっていた。

しかし、正公爵を排除して自分がそれに入れ代わるということは、簡単には成功しない陰謀である。若い公爵の妻はナポリ王フェランテの娘だから、ナポリ王国がまず許さない。もしもロレンツォが生きていれば、イタリア内の勢力均衡状態を破って外国勢侵入の口実になるとして、絶対に阻止したであろう。だが、そのロレンツォはもういない。イル・モーロにとっての障害は、ナポリ王だけになったのであった。

一方、フランスの王位には、一四八三年よりシャルル八世が坐っていた。十三歳で王位に就いたのだから、一四九二年当時は二十二歳でしかない。肉体的には、障害者に近かった。しかし、国内統一を完成し、軍事力では最強のフランスの王である。この王は、十字軍運動の熱心な支持者だった。また、アンジュー家にまでさかのぼれば、ナポリ王位は自分のものであると信じていた。

そして、最後に、枢機卿ジュリアーノ・デッラ・ローヴェレがくる。彼も、法王シスト四世の甥《おい》の一人で、伯父のおかげで枢機卿にはなったといっても、並の才能の持主ではない。後に、ジュリオ二世として法王になる。しかし、一四九二年当時は、法王選出で熾烈《しれつ》な戦いをボルジアとの間に展開したあげく、一敗地にまみれた直後である。新法王アレッサンドロ六世を、退位に追いやることしか頭になかった。

年が代わった一四九三年、イル・モーロは、露骨に動きはじめた。ドイツの神聖ローマ帝国皇帝マクシミリアンには、姪《めい》にあたる公爵の妹ビアンカを、四十万ドゥカートという前代未聞《みもん》の持参金をもたせて嫁入らせた。皇后に死なれて独り身であった皇帝は、ふところがうるおうならばなんでもするのでも有名だった。

イタリア最強の国であったヴェネツィア共和国とは、ミラノ・ヴェネツィア同盟をより強固にすることで接近する。イル・モーロは、ドイツの皇帝の南下阻止と、ヴェネツィアとの国境線の安全を確保したのである。東地中海域でトルコの前に守勢に立たされていた当時のヴェネツィアとしても、イタリアでの国境が保証されるとなれば、無視できない収穫だった。

イル・モーロは、フィレンツェ対策も忘れなかった。ピエロ・デ・メディチに、ミラノとナポリの対立の折りはミラノ側につくよう、要請の使節をおくってきたのである。ピエロは、しかし、態度を決めかねていた。

新法王を迎えたばかりのローマ法王庁対策は、イル・モーロは、彼の野心実現の賛同者でもある、弟のアスカーニオ・スフォルツァ枢機卿に一任していた。法王ボルジア選出の功労者であるアスカーニオ枢機卿の、新法王アレッサンドロ六世への影響力を確信していたからである。

一四九三年は、イル・モーロのこの攻勢と、それに対し必死に対応するナポリ王フェランテの動きが潜行する中で過ぎたが、年が代わって一四九四年に入るや、情勢は急転する。一月二十五日、ナポリ王フェランテが死んだ。フランス王シャルル八世は、ただちに、ナポリ王位継承権を主張する。

しかし、四月十八日、法王アレッサンドロ六世は、シャルルの主張をしりぞけ、新ナポリ王には、前王の嫡子《ちゃくし》アルフォンソを承認した。

法王のこの決定は、フランス王シャルルを激怒させただけですまなかった。王の怒りは、たちまちフランス派の枢機卿たちの不満となってはね返ってきた。そして、フランス派の枢機卿たちの首領格は、ジュリアーノ・デッラ・ローヴェレ枢機卿である。この決定の六日後、ローヴェレ枢機卿はローマから逃げ、フランス王の許に走った。

一四九四年八月、フランス王シャルル八世、九万の軍をひきいてグルノーブルを発《た》ち、アルプスを越える。同時に、イタリアの各国には使節が派遣され、フランス軍のための領国内通行の自由と必要物資の提供を要求した。

九月、フランス軍、トリノを通過して、アスティに入城。イル・モーロ夫妻の出迎えを受ける。シャルル八世には、ジュリアーノ・デッラ・ローヴェレが同行。

十月、ミラノ公国第二の都市パヴィアに入城。六日後、ミラノ公爵ジャンガレアッツォ・スフォルツァ死去。死の八日後、イル・モーロ、正式にミラノ公爵に即位。


これより、フィレンツェの情勢を、現場証人の証言を軸にして描いてみたい。ルカ・ランドゥッチの日誌を使う。この人物は、フィレンツェの街中に香味料を商う店をもつ商人で、当時、五十代の半ばに達していた。市井《しせい》の人の視点を、示してくれるに最適と思う。ただし、教養人でもないただの商人《あきんど》なので、彼の記述には、なんとしても限界がある。それで、日誌を訳すだけでは理解不可能な箇所は、私の筆で加筆するしかなかった。

「一四九四年十月二十六日、ピエロ・デ・メディチは、有力者たちとも相談せずにフィレンツェを発った。ピサへ向って南下中の、フランス王に会うためである。王に会ったピエロは、フィレンツェ領内に被害を与えないよう願い、その代わりフィレンツェは王の軍に降伏し、その証明として、領内の二つの町の市門の鍵《かぎ》と、二十万フィオリーノ分の金貨を提供する、と申し出た。王はもちろん承知したが、フィレンツェの人々が承知しない。なにもこれほど屈辱的な対応をする必要はない、と言うのである。ピエロは、未熟な若者として振舞った、と非難された」

「十月二十九日、フィレンツェ領内の一つの町が、フランス軍に攻められ、開城した後、徹底的な略奪をうけた」

十一月一日、フィレンツェの街中では、恐怖におびえる民衆を前に、サヴォナローラが説教する。

「これこそ神のくだしたもうた剣だ。わたしの預言は的中した。鞭《むち》がふりおろされる。神自らが、あの軍勢をひきいておられる。これこそ、神のくだしたもうた怒りの試練だ！

おお、フィレンツェよ、ローマよ、イタリアよ、歌と踊りにあけくれるときは過ぎたのだ。今や、涙の河が流れる。わが民よ、悔いあらためて改心するのだ。神に近づくのだ！　主イエスよ、われわれの罪のために、われわれへの愛のために死なれたお方よ。許したまえ、あなたの小羊であろうと努める、このフィレンツェの民を許したまえ！」

「十一月四日、政庁より市民に、指令がくだった。フランス兵宿泊用の家を選びにくるから、そのときは家の中をみせるように、というのである。家の中にあるものは、運びだしてはならず、今のままの状態でみせるよう、ともあった。これには、市民たちはひどく不満で、フランス軍に対して必要以上の怖《おそ》れをいだいていると、誰もが言った」

「十一月五日、フランス王の家臣がフィレンツェを訪れ、市内の家々をまわり、好みの家を選び、その家の扉に白いチョークでしるしをつけてまわった。宿泊用とされた家は、数百ですまず、数千にもなった。フランス人は、よいと思った家の前では、『開けろ』と言うだけだった。フィレンツェ人のできたことは、女子供を田舎に送ったり、しるしをつけられなかった家に預ってもらったりすることだけだった」

「十一月六日、五人の有力者からなる交渉団が、ピサにいるフランス王の許に行った。首席は、修道士サヴォナローラである。同じ日、フランス軍の先発隊がフィレンツェに入り、宿泊先ときまった家々に分散した。

その夜半過ぎ、政庁舎の鐘楼の鐘が鳴ったという噂《うわさ》が、風のように街中に広まり、市民たちは、政庁前の広場に集まった。だが、これは誤報だった」

「十一月八日、フランス王の許に行っていたピエロ・デ・メディチが、フィレンツェにもどってきた。ピエロは、メディチ宮殿に入るや、多くの菓子と多量の葡萄酒《ぶどうしゅ》を市民にふるまった。フランス王との間に有利な条件で講和を結べたのを、祝うためだという」

「十一月九日、日曜日、晩鐘の時刻に、武装した市民たちが政庁前の広場に集まりはじめた。市民集会《パルラメント》を開こう、という声があがる。そこに、サヴォナローラ派として有名なフランチェスコ・ヴァローリが馬で入ってきて、『ポポロ、リベルタ』（民衆、自由）と叫んだ。たちまち広場中の人々が唱和した。その間にも、広場は集まってくる人々でいっぱいになり、誰もが、『ポポロ、リベルタ』と叫ぶ。

　ピエロ・デ・メディチは馬を駆り、『パッレ』（メディチ派の意味）と叫びな

修道士サヴォナローラ

がら広場へ向った。彼の後に従う市民は、あまり多くなかった。だが、広場は武装した市民で埋まっていたので、ピエロも考えを変えた。その間に、政庁からは指令が発せられた。指令の中には、ピエロ・デ・メディチに加担した者は首つりの刑に処す、という一項があった。

ピエロは、弟のジュリアーノが開けさせておいたサン・ガッロの城門から、街を出た。城門の向うには、彼の母方の親戚《しんせき》であるオルシーニ家の武装兵たちが待っていた。哀れな枢機卿は、兄のピエロや弟のジュリアーノとともに去らず、一人、メディチ宮に残った。わたしは、この若い枢機卿ジョヴァンニが、窓辺にひざまずき、手を組みあわせて祈っているのを、この眼で見た。わたしの胸は、哀れさでいっぱいになった。たとえ事情があろうとも、あの若者はきっと良い人間であろうと思いながら。しかし、彼も、メディチ家直系が一人もいなくなったフィレンツェから、まもなく去った。聞くところによると、一介の修道僧に変装して、街を脱出したということである。

フィレンツェの街は、翌日になっても、『ポポロ、リベルタ』の声が鳴りひびき、共和国政府は、ピエロ・デ・メディチを殺した者には二千フィオリーノ、弟の枢機卿を殺した者には一千フィオリーノの賞金が与えられると発表した。

まったく、この日とその翌日は、ひどい混乱がフィレンツェを支配した」

メディチは、追放されたのである。ロレンツォ・イル・マニーフィコの死から、わずか二年半後の出来事であった。

そして、かつてロレンツォに支配されていたフィレンツェ共和国は、なぜ、という問いを誰もが発せずにはいられないほどすべての面でロレンツォとちがう、修道士サヴォナローラに支配されることになったのである。

メディチ家が追放されたと同じ十一月九日、ピサに入城したフランス王シャルル八世に向って、フィレンツェ共和国特使の格で会見を許されたサヴォナローラは言った。

「キリスト者の王よ、おまえは、神自らの手によってつくられた。わたしが何度も預言したように、神が、イタリアの悪をこらしめるためにおまえをつかわされたのだ。地に堕《お》ちた教会を改革するために、神がおまえをつかわされたのだ。

だが、王よ、もしおまえが正義の人でなく慈悲の人でもなければ、またもしおまえが、フィレンツェの都を、そこの女たちを、そこの市民を、そこの自由を尊重しなければ、神はおまえの代わりに他の者を選ぶことになり、おまえを、怖しい鞭によって滅ぼすであろう。このことをわたしは、神のお告げを受けた者として、おまえに向って言っている」

十一月十七日、フランス王は、サヴォナローラを先頭とするフィレンツェ市民の歓呼の中を、フィレンツェに入城した。そして、二十二日、フィレンツェから、全キリスト教徒に向けた宣言を発した。

一、キリスト者の王であるわたしは、ナポリ征服の後にそこを拠点として、異教徒壊滅のための十字軍遠征を遂行することを誓う。

二、教会改革のために神よりつかわされた者として、わたしは、法王として失格である現法王アレッサンドロ六世を退位させ、新法王を選ぶための公会議開催を、自らの義務とする。

この間十日あまりのフィレンツェ滞在中、フィレンツェは他の都市に比べてフランス兵の横暴による被害が少なく、これもすべてサヴォナローラのおかげであるとして、フィレンツェ市民の彼に対する信頼は、ますます強くなった。

サヴォナローラのおかげは、これだけではなかった。フィレンツェは、先にピエロ・デ・メディチが勝手に献上した二つの町をとりもどせた。また、二十万フィオリーノの提供金の代わりに、十二万フィオリーノの一時金と、その他に毎年一万二千フイオリーノの年貢金《ねんぐきん》を、王に対して払うことになった。フランス王がこれ以降、フィレンツェ共和国の防衛を保証する「契約金」である。なにがトクしたのかわからないが、フランス王の保護を保証されたということは、ロレンツォ・イル・マニーフィコの死を期に自信も失ったフィレンツェ人の大半にとって、サヴォナローラの推薦もある以上、得がたい利点と思えたのであろう。フィレンツェは、このフェラーラ出身の、火を噴くような説教をする修道士の影響下に入ったのである。シャルル八世は、フィレンツェ滞在中、今では主のいないメディチ宮殿を宿舎に使った。十一月二十八日、フランス王は全軍を従えて、フィレンツェを後にし南に向う。サヴォナローラは、出発直前の王に会い、重ねて、神が王に与えた使命を遂行するよう説いた。

フランス軍のその後の行動をくわしく述べるのは、この文の本筋から離れる。詳細を知りたい方は、『チェーザレ・ボルジアあるいは優雅なる冷酷』の第一部「緋衣《ひえ》」の中の第四章と第五章に眼を走らせるようお願いするとして、ここでは、ごく簡単に経過を追うだけにとどめ、話をフィレンツェに集中することにする。

年が代わった一四九五年二月、ナポリ王国はフランス軍の前に開城した。シャルル八世は、アンジュー家代々の主張であった、ナポリ王国奪回に成功したことになる。

だが、それから一ヵ月しか過ぎない三月、法王の提唱による、反フランス大同盟が成立したのである。あまりに簡単にいったフランス王のナポリ征服に、良い気分でいられないドイツの神聖ローマ帝国皇帝マクシミリアンとスペイン王フェルディナンド、それにヴェネツィア共和国、また、フランス軍イタリア侵入の火つけ役であるミラノ公爵《こうしゃく》イル・モーロまで加わった同盟だった。参加しなかったのは、サヴォナローラの支配下にあったフィレンツェ共和国だけである。

これには南国の日々を満喫していたシャルルも、それどころではなくなった。五月、あわててナポリを発つ。海路マルセーユまでの道をとろうと思ったら、船を提供するはずのジェノヴァの返事がはっきりしない。来た道をもどる陸路をとるしかなかった。ローマで、法王ボルジアとことを決しようとしたが、法王は姿をくらましていてつかまらない。やむをえず、シャルルは、北上をつづける。フィレンツェにも、立ち寄らないつもりだった。フィレンツェ近くのポッジボンシの町まで来たところで、サヴォナローラにつかまり、神の使命うんぬんとまたも口説かれたのだが、孤立感におびやかされているシャルルは、聴く耳をもたない。だが、早い行軍で北上中のフランス軍は、北イタリアに入ったところで、イタリア兵を主体にした同盟軍と出くわしてしまった。

戦いは、勝っていた同盟軍の軍規の乱れのために、フランス軍は大敗をまぬがれることはできたが、情勢を変えるほどではない。ふみとどまるオルレアン公を残して、シャルルのほうは、一目散にアルプスを越えたのである。

イタリアにとっては、一年の間吹きまくった嵐《あらし》であった。トクをしたのは、イル・モーロだけである。ただ、戦いのやり方が変ったこと、つまり時代が変ったことを、イタリア人の中でも洞察力のある少数の人々に悟らせる効果はあったのだ。後年、歴史家グイッチャルディーニは、この年一四九四年を、悲惨な時代の最初の年、と書いている。圧倒的な軍事力は、「質」で勝負することに慣れてきた、そしてそれまでの何百年というもの、このやり方の優位を誇示してきたイタリアの都市国家に、「量」の威力に目覚めさせることになったのである。しかし、眼をあけて見ることのできた者は、この時代も少数派であった。

フランス軍がフィレンツェを後に南下しはじめた、わずか四日後の一四九四年十二月二日、政庁前のシニョリーア広場では、市民集会《パルラメント》が開かれた。フィレンツェは、メディチ追放後の政体改革に着手したのである。ようやくフランス兵の姿が見えなくなったフィレンツェでは、ポポロ（民衆）、リベルタ（自由）に加えて、デモクラツィアという言葉が、合言葉の一つになっていた。サヴォナローラの指導下、民主的なる政体確立にのりだしたのだ。サヴォナローラの「指導」の場は、教会の中の説教壇にかぎらなくなった。政庁舎の大会議室でも、政庁前の広場でも、黒い修道衣は熱弁をふるった。

　では、そのフィレンツェ人たちの考えた、「デモクラツィア」とはなんであったのか。

　まず、ロレンツォ・イル・マニーフィコのフィレンツェ支配の基盤であった、「七十人委員会」が廃止された。そして、活発な、ということは各階級各派別に議論がふっとうしたあげく、サヴォナローラの指導によって、まずはヴェネツィアをまねた政体をつくることでは同意に達したのである。しかし、ヴェネツィアの共和国国会《マジョール・コンシーリオ》は、くわしくは『海の都の物語』の第五話「政治の技術」を読んでいただくしかないが、民主政にもとづいた機関ではない。ヴェネツィア共和国は、貴族政とも呼ばれる、寡頭《かとう》の政体の国である。それで、ヴェネツィアを参考にしても、あくまでもフィレンツェの国情に合致した政体にするということで、各階級各派別の妥協が成立したのであった。

イタリア語ではマジョーレもグランデも、大きいということで意味は同じだが、フィレンツェ共和国の「国会」は、ヴェネツィアのがマジョール・コンシーリオと呼ばれるのに対して、コンシーリオ・グランデと名づけられた。だが、内実はヴェネツィアのに似ていて、政庁前の広場に鐘を合図に全市民が集まる、市民集会《パルラメント》とはちがう。国会の議席を得るには、フィレンツェでも資格を必要とした。

その資格とは、それまでに三大委員会の委員を務めたことのあるフィレンツェ市民、または、先祖の誰かが委員であったことのある家系に属する者、それも、二十九歳以上の男子でなければならないとされた。しかし、この分類からはずれる者や若年の者への配慮として、毎年、二十四歳から二十九歳までの二十四人の男子の加入も認められた。この式でいくと、当時のフィレンツェ市内の住人約七万のうち、三千二百人が国会に席を占めることになる。「デモクラツィア」としては、相当につつましいものであった。

しかし、住民すべてに政治参加の権利があるとする民主主義は、当時では考えられない思想でもあったのである。政治に参加する資格のある者というのが、「市民」の定義であった時代だ。この意味の市民には、商人も職人もふくまれるが、女はもちろんのこと、一家の柱でも、傭《やと》われている者、つまり労働者はふくまれない。しかし、この非市民には、広場で行われる市民集会《パルラメント》の外野席ぐらいは認められた。外野席が動向を決する場合も少なくなかったことは事実である。ただし、この式では、デマゴーグによる影響から完全に自由でありえないという欠陥も、避けることはできない。ヴェネツィアでは、早々に、この種のパルラメントは廃止されていた。

だが、いかに三千人であろうと、この国会で議案すべてを討議するのでは、統治効力からして非現実的である。それで、これもヴェネツィアの元老院《セナート》をまねて、「八十人委員会」というのを新設した。ロレンツォ時代の「七十人委員会」から十人増やしたところがミソなのだろう。仕事の内容は、ヴェネツィアの元老院と同じである。ということは、国政の基本的な事項は、ほとんどがこの委員会で決まるということである。そして、国会《コンシーリオ・グランデ》で承認し、市民集会《パルラメント》が支持を与える。これが、一四九四年にできたフィレンツェの「民主政体」であった。

しかし、フィレンツェ人は、ヴェネツィアの政体を参考にはしたものの、ヴェネツィア人の精神は参考にはしなかったのである。

ヴェネツィア共和国の政体が考えだされたのは、二百年前の十三世紀末である。それが実行に移された当初は、ヴェネツィアでもやはり産みの苦しみはあり、一千年のヴェネツィア史でただの二度しか起らなかった反政府陰謀は、二つともこの時期に集中している。しかし、それをのりこえた時期からのヴェネツィアは、フィレンツェやジェノヴァが理想的政体を模索する中で、彼ら独自の政体の補強しか考えなかった。

ヴェネツィア共和国の国政を担当する少数派は、貴族《ノーヴィレ》と呼ばれたが、彼らの特権はただただ国政を担当する権利にかぎられ、それに付随した義務は、戦場では第一線に立つことだった。ヴェネツィア政府が統治の基本方針とした、法の平等な施行と利益の公正な分配では、貴族といえども例外はまったく許されなかった。もう一つの基本方針であった敗者復活戦にも、貴族であっても堂々と参加の権利はあったのである。共同体に対する認識が、フィレンツェとヴェネツィアとでは、まったくちがっていたと言うしかない。フィレンツェの国政担当者たちには、ヴェネツィアの同僚たちの持っていた、この種の冷徹な認識が完全に欠けていた。二百年間成功してきたからという理由で参考にしようと、これでは所詮《しょせん》、まねでしかなかったのである。

また、ヴェネツィアとフィレンツェでは、もう一つ、根本的にちがう傾向があった。

ヴェネツィアには建国以来の政教分離が確立していたのに反し、十五世紀末のフィレンツェは、サヴォナローラの指導を許容したことである。

　このドメニコ派の説教僧は、なにも、ロレンツォ・デ・メディチの死後に登場したのではない。ロレンツォの死の二年前から、フィレンツェで説教をくり返していたのだ。しかも、言論弾圧など考えたこともないロレンツォのこと、サヴォナローラは誰はばかることなく、ロレンツォに代表されるフィレンツェ人の現世的傾向を、非難しつづけていたのである。それなのに、ロレンツォが生きている間、フィレンツェ人は動揺しなかった。共感する者はいたが、政治上の決定まで動かされることはなかった。

　フィレンツェ人は、自信を失ったのであろう。ロレンツォ・イル・マニーフィコという支柱にささえられていたからこそ持てた、自信を失ったのである。個人に体現される支柱など存在しないとして二百年を過ごしたヴェネツィア人ならば、ロレンツォの死後にフィレンツェ人が直面させられた危機にも、対処の自信はあったろうが、コシモであれロレンツォであれ、支柱があるか、なければ内ゲバ状態しか知らないフィレンツェ人には、他にあらためて支柱を求めるしかなかったのであろう。メディチの子孫は、彼らを失望させる役にしかたたなかった。このフィレンツェ人は、サヴォナローラから、現在の危機はおまえたちの過去の罪が生んだものだ、悔いあらためて神に近づこう、と説かれて屈したのである。

それに、フィレンツェ人にはもともと、あくなき理想の追求という性向もあった。これが芸術面に発揮されたからこそルネサンスを生むのだが、政治となると、あくなき模索につながりやすい。サヴォナローラの説く、イエスを王にいただいた新しい政体、つまり政治と宗教が見事な調和を保って運営される政体創造に、彼らの理想主義が火を点《つ》けられたのであろう。サヴォナローラは、フィレンツェ人に向い、「神の民よ」と呼びかけ、フィレンツェを、「神の都」と名づける。キリストを王にいただく国では、市民たちは平等であるから僭主《せんしゆ》といえども君主は許されず、魂の平安を獲得した人々は、争いを拒絶するから平和は保たれる。

サヴォナローラのこの教えは、もともと信心深いフィレンツェの、中から下の市民たちの心を動かしただけではすまなかった。ピコ・デッラ・ミランドラ、マルシリオ・フィチーノ、アンジェロ・ポリツィアーノらの哲学者や文人、ボッティチェッリや若いミケランジェロのような芸術家、フランチェスコ・ヴァローリ、ヤコポ・サルヴィアーティ、ピエロ・グイッチャルディーニらに代表される、フィレンツェの有力者たち。サヴォナローラの心酔者は、知識階級にも多かったのである。とくに、ロレンツォの生前彼の取りまきであった学者、芸術家は、ほとんど一人の例外もなく魂を入れ代えた。支柱に寄りかかる度合が強かったがためになお、支柱の不在を感じる度合も強かったのかもしれない。

対外関係でも、フィレンツェは苦況におちいっていた。サヴォナローラに指導されて選択した親フランス路線は、フランス王シャルルがアルプスの西に逃げ帰って以来、フィレンツェを孤立状態に追いやっていた。反フランス同盟に一国だけ参加しなかったフィレンツェと、同盟参加国のローマ、ヴェネツィア、ミラノにドイツ、スペインとの関係が緊張するのも当然である。周囲を敵にかこまれた想いのフィレンツェに対し、ピサも反旗をひるがえして独立した。

経済状態も、苦況にあったことでは同じだった。金融業と製造業を基盤においていたフィレンツェ経済は、それまで彼らが牛耳っていたヨーロッパの北の国々が同じ分野に進出してくれれば、以前同様な利益は望めなくなる。ここでも、経済構造の再編成にいち早く着手していたヴェネツィアと反対に、なにも手を打たなかったフィレンツェは、決定的に守勢に立つしかなかったのである。一四九四年のメディチ銀行の破産は、北ヨーロッパ諸国でのフィレンツェ経済人の、ヘゲモニーの終焉《しゅうえん》を意味した。

すべてがうまくいかなくなったフィレンツェに、サヴォナローラのかん高い声だけがひびいたのである。

この時期のフィレンツェ人の心理状態を、前述のルカ・ランドゥッチの日誌に語ってもらうことにする。私は、『神の代理人』の第二部「アレッサンドロ六世とサヴォナローラ」でもこの時期を描いたが、あそこでは、二つの考え方の対立に焦点をしぼっている。だが、ここではフィレンツェを描くのが主目的なので、『神の代理人』では四史料の一つにすぎなかったランドゥッチの日誌だけを、とりあげることにする。

「一四九五年九月一日、サンタ・マリア・デル・フィオーレで、サヴォナローラの説教を聴く。いつものように一万五千を越えるのではないかと思う聴衆で、教会の中はひどい熱気だ。だが、彼が説教壇に登ると、人々は熱気さえも忘れて、真剣に聴きいった。彼は言う。海に面しないフィレンツェ共和国にとって、どれだけ海への出口ピサが必要か。しかし、そのピサには、同盟軍の軍隊、それもフィレンツェとは仇敵《きゅうてき》の間柄のヴェネツィアの兵が駐屯している。ピサをフィレンツェに与えると約束したのは、フランス王だけではなかったか。そのためにもフィレンツェは、親仏主義をつらぬくべきである。たとえ今、イタリアの中で孤立したとしても、フランス王は、その事業を完成させるために、必ずイタリアにもどってくるから、結果はフィレンツェに幸いすることになる。と彼は説き、つづけて、共和国国会《コンシーリオ・グランデ》は、なんとしても守らねばならぬ。これこそ、圧政者メディチ家を追放して、人民政府を樹立した民衆の勝利であり誇りである、と言って、説教を終えた。

彼の説くことは、まったく正しい。われわれフィレンツェ人は、自由の民なのだ。再びフランス王が軍をひきいてくるという噂《うわさ》も、この頃しきりと聴かれる。フィレンツェ人は、この清らかな生活をおくられる預言者を、神からさずけられたことに感謝せねばならない」

翌一四九六年。

「二月七日、今日、群をなし頭巾《ずきん》をかぶった少年たちが、路《みち》という路を走りまわり、贅沢品《ぜいたくひん》を身につけている人々からそれを取りあげるという事件が起った。あれは修道士の少年たちだ、と大人たちは驚きながらささやきあった。なかには少年の群が近づくと逃げる者もいたが、それでも人々は、堕落した習慣を追放するという、〃サヴォナローラの少年たち〃の行為を賞《ほ》め讃《たた》えていた。このようなことは、老人たちの話では、この街でははじめてのことだそうだ。わたしも、ありがたい時代に生きる幸せに恵まれたものである」

翌一四九七年。

「二月七日、謝肉祭の最後の日である今日、フィレンツェはまことに聖なる一日をおくることができた。朝、男も女も子供たちまで、サヴォナローラの行うミサに出席し、そのあと家に帰り、彼の教えにしたがって質素な食事をすませた。午後は、誰もが、街をねり歩く大行列に加わった。ほとんどの人が、白衣に赤い十字架をもっている。

行列がシニョリーア広場に着いたとき、そこには大きなピラミッド形につくられた贅沢品の山ができていた。高さは、三十ブラッチア（約十八メートル）もあろうか、周囲も、百二十ブラッチア（約七十二メートル）はあると思われる。山は七段にきざまれ、すべて謝肉祭用の色とりどりの贅沢品でいっぱいだ。謝肉祭に使う仮面や仮装用の品物だけでなく、かつらやまげ、くしやトランプ、それに異教的な題材の絵画や彫刻や書物もある。これらの贅沢品の山の周囲には、薪束《まきたば》が積まれている。サヴォナローラが常々説いていた、〝虚栄の焼却〟が行われるのだ。聴くところによると、あるヴェネツィア人がこれらすべてを四万ドゥカートで買いあげたいと申しいれたのだが、それこそ堕落の見本だと言われて追い返されたという。

広場は、人で埋まっていた。少年たちは、ロッジア・ディ・ランツィの中に並んでいて、聖歌を歌いはじめる。そのうちに、誰かが合図したらしい。ピラミッドの四隅に火が点けられた。火は、またたくまにピラミッド全体をおおう。政府の楽隊の奏楽がはじまった。政庁の塔の鐘が鳴りだし、それを合図のように、全市の教会の鐘も鳴りはじめた。群衆は、喜びの声をあげ、神への感謝の祈りがはじまる。祈りと聖歌と鐘の音が入りまじって、ひざまずく人々の上を流れていった。

これこそ、神の国である。焼けていくピラミッドのそばに立って祈りをささげているサヴォナローラの神々《こうごう》しいまでの姿を、人々はひざまずきながら見あげていた」

「五月八日、今日、サント・スピリト寺院で反サヴォナローラ派の説教があるというので行ってみた。ところが驚いたことには、説教を聴きにきている人が意外に多い。五千人はいただろうか。それも全部といってよいほどが男で、若い者が多い。それにしてもこれらの男たちは、今までどこに隠れていたのだろう。サヴォナローラがいつも言っていた、敵が多い、まだフィレンツェの改革は完成していない、というのは事実だったのだ。サント・スピリトの説教修道士によれば、サヴォナローラは狂人であり、われわれはその狂人にだまされているのだという」

翌一四九八年。

「三月二十七日、今日サンタ・クローチェ教会で説教した修道士《フラ》フランチェスコが、サヴォナローラに対して、〝火の試練〟をもって挑戦したとのことである。彼によれば、サヴォナローラは日頃、自分の言葉の正しさ、自分が真の預言者であることは、神が奇跡によって示されるであろう、神よ、自分がまちがっているなら、今ここで電光でもって自分を焼きつくしたまえ、と言っていたが、それならいっそ、実証してもらおうではないかというのである。

修道士《フラ》フランチェスコの挑戦は、彼とサヴォナローラが相前後して燃えさかる火の中を歩いて通りぬける。もしサヴォナローラが火傷《やけど》もしなかったら、そのときこそサヴォナローラを預言者と認め、彼にしたがう覚悟だというのだ」

「三月二十八日、サヴォナローラの一番弟子と自他ともに任ずる修道士《フラ》ドメニコが、昨日の挑戦を自分が受けると発表した」

「三月三十日、今日、〝火の試練〟を行う両派の代表が決まった。フランチェスコ派からは修道士《フラ》ロンディネッリ、ドメニコ派の代表は、修道士《フラ》ドメニコである」

「四月三日、今日、ピアニョーニ（サヴォナローラ派）たちが政庁に押しかけ、早く〝火の試練〟をやってくれと迫った。男も女も少年たちまで加わったこの人々で、シニョリーア広場は埋まるほどだった」

「四月七日、街中は朝から昂奮《こうふん》の渦に巻きこまれている。ピアニョーニは、勝利をまぢかにして、早くそれを見たいと願う。アラビアーティ（反サヴォナローラ派）は、今日こそサヴォナローラの破滅が見られると、これも昂奮している。誰もが〝火の試練〟が行われるシニョリーア広場のなるべく良い場所を確保しようと、早々に広場に向った。

広場にはすでに、〝火の試練〟のための舞台ができている。それは、政庁の前からななめの方向、すなわち広場の中央にせりだした形になっている。レンガを積みかさねた土台は、高さが二ブラッチア半（約一・五メートル）あり、その上に、高さ四ブラッチア（約二・四メートル）、長さ五十ブラッチア（約三十メートル）、幅が十ブラッチア（約六メートル）におよぶ、薪の束の廊下ができている。薪の束の間には、ところどころ火薬がおかれ、油が、まんべんなく振りかけられた。所定の時刻である正午が迫ってきた。広場は、立錐《りっすい》の余地もないほどの人だ。広場の周囲の家々の窓までが、鈴なりの人でいっぱいだ。武装した兵の一団が、舞台と群衆の間に立って警備にあたっている。今日の主役であるドメニコ派とフランチェスコ派の修道士たちも、両派の指導者であるサヴォナローラとフランチェスコの両修道士を先頭に、広場に入ってきてそれぞれの位置についた。これで、準備はすべて終ったわけだ。早朝から広場にきて待っている群衆は、今にも火が点けられるかと、かたずをのんで見守る。

ところが、いっこうにはじまらない。フランチェスコ派を代表して火の中に入ることになっている修道士《フラ》ロンディネッリが、十字架上のキリスト像をもって火の中に入るつもりらしい修道士《フラ》ドメニコを見て、強硬に抗議をはじめた。彼に言わせれば、聖体は、カトリック教理によって、個人的な試練には使用を禁じられている。キリストの像は、信仰者の崇拝の対象であるから、それを個人の試練に使うのは、神への冒瀆《ぼうとく》行為であるというのだ。

これは当然の理屈だから、ドメニコ派は譲歩すると思ったが、彼らは断固として譲らない。キリスト像をもたないでは、〝火の試練〟を行うわけにはいかないというのである。フランチェスコ派とドメニコ派の代表が政庁内に入り、政府の仲介で協議をはじめた。だが、なかなか出てこない。ようやく出てきたと思ったら、両派とも、一方はサヴォナローラのところに行き、他は修道士《フラ》フランチェスコのところに行き、なにか指示をあおいでいる様子で、それが終るとまた、政庁の中に入ってしまう。こんなことを、何度もくり返している。

その間にも、待ちくたびれた群衆から、非難の声があがりはじめた。彼らは、朝から何も食べていないうえ、約束の時刻からにしても、三時間以上は待たされているのだ。不穏な空気が流れた。しかし、警備兵の手早い処置によって、また再び自分たちの場所にもどって待つ態勢になった。だが、政庁に入ったり出たりは、まだ止《や》まない。そうこうするうち、およそ午後の五時近くであったろうか、それまで厚く雲のたれこめていた空から、パラパラと降りはじめたと思うまに、たちまちしのつく豪雨になった。そのとき、屋根のあるロッジアの中にいたドメニコ派の何人かが立ちあがり、『奇跡だ！　奇跡だ！　神が〝火の試練〟を望んでおられないという証拠だ！』と叫んだ。

われわれは怒った。こちらは何時間も待たされたあげくに雨まで浴びたのだから、怒るのはあたりまえである。群衆から、怒声がとびはじめた。彼らの非難は、ドメニコ派に向けられた。『あいつらは、はじめからやる気がなかったのだ』『なぜ、サヴォナローラ自身がやらない。彼がキリスト像をもたずに火の中に入っていたら、こんなことにはならなかったのだ』『なんだって、キリスト像にそうこだわるのだ。やる気がないからだろう』

もう、アラビアーティもピアニョーニの区別もない。いや、かえってピアニョーニのほうが、サヴォナローラに対して激しい怒りをぶちまけた。群衆は、騒然となった。今にも爆発しそうな広場の空気に、政府の人々も気づいたとみえ、一人が外に出てきて政府の決定を伝えた。〝火の試練〟は中止するというのである。啞然《あぜん》として声もない群衆をよそに、まず、フランチェスコ派の僧たちが帰りはじめた。同時に、ドメニコ派の僧たちも、聖歌を合唱しながら、サン・マルコ寺院に附属する彼らの僧院に向う。怒り心頭に発した群衆が、その行列に向って走りだした。怒声が、雨あられと、行列の中頃に修道士たちに囲まれて進むサヴォナローラに浴びせられる。襲ってくる群衆から彼らを守るために、広場にいた警備兵のほとんどが動員されたので、無事に僧院に帰りつけたのである。

群衆の怒りはしずまらない。口々に、『われわれは欺《だま》されたのだ。あの偽《にせ》預言者によって欺されたのだ』と、つい数刻前まではサヴォナローラに心酔しきっていたピアニョーニたちが叫ぶ。一方、アラビアーティたちも、『それみたことか、あいつははじめから詐欺《さぎ》だったのだ』と、どちらも同じに怒っている。預言者サヴォナローラに対する尊敬の心も、こうして消えてしまった」

修道士サヴォナローラの破滅は急激だった。この次の日、サヴォナローラは、弟子二人とともに逮捕された。群衆は、連日のようにシニョリーア広場に押しかけて裁判を要求した。五月も後半に入って、ようやく公開裁判が行われた。ルカ・ランドゥッチも傍聴している。

「五月二十日、政庁内での裁判が公開された。日曜日だというのに、人々はミサにも行かず、それを見に行った。連れてこられたのは、サヴォナローラだけである。ローマの法王から裁きをまかされて来ている司教ロモリーノが、サヴォナローラの手首に縄を結びつけるよう命じた。そして、高く引きあげさせるまえに、サヴォナローラに向ってたずねた。『おまえが白状したこと、すなわちおまえは神の言葉を聴いたわけでもないのに聴いたと人々に言い、自分は神からつかわされた預言者だと高言したが、あれはすべて嘘《うそ》いつわりであったというおまえの言葉を、この場であらためて認めるか』

サヴォナローラは、認めない、自分は預言者であると答えた。司教は、目くばせをした。とたんに、サヴォナローラは高々とつりあげられた。傍聴席のわれわれの頭上から、うめくようなサヴォナローラの声が降ってきた。

『認める、わたしは罪人だ。神の声は聴かなかった』。その日の公開裁判は、これで終りだった」

「五月二十二日、サヴォナローラと弟子二人に、死刑の判決がくだった。三人とも聖職者なのだから、カトリック教会の法による裁きである。罪名は、異端の罪、分派活動を行った罪、聖ローマ教会に対する反逆の罪。処刑は、まず絞首刑《こうしゅけい》、その後に火刑と決まった。日時は、翌二十三日の朝。早速シニョリーア広場では、絞首台づくりがはじまった」

「五月二十三日、法王特使と政府の高官たちが、政庁の壁にそってつくられた桟敷《さじき》に並んで坐った。広場の群衆は、〝火の試練〟の日より多いほどだ。皆、しんと静まりかえっている。政庁の中から、三人の修道士が連れてこられた。判決文が読みあげられる。修道士三人は、黒い僧衣を脱がされ、白の修道衣だけにされた。裸足《はだし》で、手を後ろでしばられている。三人とも、白布で眼かくしをされた。

まず最初に、修道士《フラ》シルヴェストロが、急造の木の廊下の上を歩かされて行った。その端に立っている丸太の木の上にわたされた横木にかかっていた綱が、するすると降ろされ、彼の首に巻きつけられた。そのまま綱は、彼の身体とともに引きあげられた。シルヴェストロの口から、『主イエスよ』という弱い叫びが何度も発せられた。綱が、きつく絞められていなかったのである。だが、それもやんだ。二番目は、修道士《フラ》ドメニコの番である。彼もまた、『主イエスよ』と、これは大声で叫びながらつるされた。

最後に、真中にサヴォナローラがつるされる番だった。彼を信じていた者には、これが最後の機会だった。何か、言ってくれるにちがいない。何か、われわれに言葉を残してくれるにちがいない。奇跡でなくても、神の栄光を讃える言葉とか、正しく良き生活への勇気をふるいおこせとか、教会は改革されるだろうとか、不信心者は滅びるだろうとか、われわれには何でもよかったのだ。だが、彼は何も言わなかった。サヴォナローラは、低くなにごとかをつぶやきながらつるされた。それが、多くの人々を失望させ、それらの人々の心から、彼への信仰の心を失わせた。

絞首台の下に積みかさねられていた薪の束に、火が点《つ》けられた。それらには火薬がしかけてあり、油をかけてあったので、火の勢いはひどく強かった。またたくまに火は、高い丸太棒をはいあがり、火炎が、死んだ修道士たちをなめまわした。四肢が、下に落ちてきた。残った胴体を落とそうと、群衆はそれに向って石を投げた。落ちた胴も、徹底的に焼きつくされた。

手押車がもってこられた。それに、骨片と灰が積みこまれた。一さじの灰も残されなかった。車は武装兵に囲まれて、ポンテ・ヴェッキオへ向った。そして、その橋の上から、アルノ河に投げ捨てられた。信者の手に、なにひとつ残らないようにするためだった」

この日から五日が過ぎた五月二十八日より、二十九歳のマキアヴェッリの、フィレンツェ共和国の一官僚としての生活がはじまるのである。だが、サヴォナローラに心酔していた商人ランドゥッチに比べ、二十代のマキアヴェッリは、修道士の栄光から破滅にいたる四年間を、冷やかに見つめて終始したようである。

この時期のマキアヴェッリが書いた、手紙が一通残っている。一四九八年三月九日の日付だから、〝火の試練〟の一ヵ月前に書かれたことになる。あて名はローマ駐在フィレンツェ大使リカルド・ベッキで、文面から推測するに、大使がマキアヴェッリに、サヴォナローラについての情報を求めたのに応じて書かれたものであろう。年長の、しかも高位の人に対しての報告だから、若いマキアヴェッリは、自分の判断を極度に押えて、情況の報告に徹している。それでも、一行、彼の見解がのぞく箇所がある。サヴォナローラの説教は、「冷静に考えをめぐらすことが不得手な人々に対しては効果ある、大げさな脅しではじまる」としているところである。また、報告の書き方自体からも、冷やかさを感じずにはいられない。そして、後年のマキアヴェッリは、『君主論』の中で、再びサヴォナローラに言及することになる。それは、民衆の支持を得るのはさほどむずかしいことではないが、いったん得た支持を保持しつづけるのはむずかしい、ということを述べた項である。もちろん、サヴォナローラは、失敗の例としてとりあげられたのであった。

　ここまでが、眼をあけて生れてきた男が、「仕事」に入るまえに、見かつ体験した出来事である。だが、一官僚として、彼が直接に国政に関係することになったフィレンツェは、もはや、ロレンツォ・イル・マニーフィコのフィレンツェではなかった。また、サヴォナローラのフィレンツェでもなかった。良くも悪くも強力な指導力をそなえたリーダーを、望んでも得られなくなったフィレンツェだったのである。

　しかし、二十九歳はまだ若い。それに、マキアヴェッリにしてみれば、望んで得た職場である。サヴォナローラを焼いた炎の跡がまだ黒く残る広場の敷石も、彼の軽やかな歩調を、とどめはしなかったであろう。職場は、フィレンツェ共和国の政庁パラッツォ・ヴェッキオだった。そして、季節は春。五月のフィレンツェは、「フィレンツェの五月《マッジオ・フィオレンティーノ》」と呼ばれて、ことのほか美しいので有名だ。フィレンツェ共和国にとっては、「春」はすでに去ったが、マキアヴェッリにとっては、「春」は今はじまったのであった。

図版出典一覧

カバー	ボッティチェッリ画　ウフィッツィ美術館（フィレンツェ）　© Archivi Alinari, Firenze
p.　8	地図作製：綜合精図研究所
p. 35	撮影：鈴木美知
p. 38-39	地図作製：綜合精図研究所
p. 97	ヴェロッキオ作　メディチ・リカルディ宮（フィレンツェ）　© The Bridgeman Art Library
p. 105	ボッティチェッリ画　アカデミア・カッラーラ美術館（ベルガモ／イタリア） © The Bridgeman Art Library
p. 123	レオナルド・ダ・ヴィンチ画　ボナ美術館（バイヨンヌ／フランス） © Giraudon/The Bridgeman Art Library
p.163	作者不詳　コメーラ博物館（フィレンツェ） © Archivi Alinari, Firenze
p.183	フラ・バルトロメオ画　サン・マルコ美術館（フィレンツェ）　© The Bridgeman Art Library

第一部解説

佐藤　優《まさる》

塩野七生氏の文体には命がある。時空を超えて過去の歴史を現在の日本に引き寄せる力がある。本書に描かれているニコロ・マキアヴェッリの生涯は、私にとって、どこか既視感のあるものだ。そこで、マキアヴェッリは、なにを見たかということと、外務省のラスプーチンこと佐藤優が、なにを見たかについて重ね合わせながら物語ることで、本書の解説にかえたい。

ギリシア人は、時間概念をクロノスとカイロスに区別した。クロノスは、流れゆく時間だ。時系列（クロノロジー）に沿って、時間は流れていくとわれわれは考える。ただし、これと別の時間もある。ある出来事の結果、その前の時間と、その後の時間が質的に異なる、境界になる時間である。これがカイロスだ。英語では、タイミング（timing）と訳される。一九四五年八月十五日の玉音放送は、日本人にとってのカイロスだ。最近では、二〇〇一年九月十一日の米国連続多発テロもカイロスである。

民族や国家がもつカイロスとは別に、個人もカイロスをもつ。愛する人との出会いと別れは、典型的なカイロスだ。私もいくつかのカイロスをもつ。その一つが二〇〇二年五月十四日だ。この日の午後、私は東京地方検察庁特別捜査部によって、東京都港区麻布台の外交史料館で逮捕された。私は外務省の一員として、職務を遂行してきたつもりだ。それを犯罪と見なすのは、検察の勝手だが、連中の理屈に私が付き合う必要はない。それだから、私は検察庁への任意同行には応じず、職場での逮捕に固執した。そして、こんなことが起きた。

〈外交史料館長が館長室の扉を開け、「佐藤君、ちょっと来てくれ」と言うので部屋に入ると、五、六名の「お客さん」が待っていた。館長は「こちらにおられるのは東京地方検察庁の検事さんだが、佐藤君に話を聞きたいので検察庁に来て欲しいと言っているんだ」と言う。

私は、「任意ならば行きません」とキッパリとした口調で答えた。

すると、検察事務官が「それは佐藤さん、わがままですよ」と興奮して食ってかかってきた。彼の目は血走っていた。

ソファに座っていた検事がその事務官を制して、「失礼致しました。御挨拶《あいさつ》もせずに。西村と申します」と言って名刺を差し出してきた。

名刺には「東京地方検察庁特別捜査部検事・西村尚芳」と記されていた。

私も名刺を出した。検察事務官にも私は名刺を渡そうとしたが、「あなたは有名だから結構です」と言って名刺を受け取らなかった。そして、ポケットから紙を少しだけ見せ「逮捕状も用意しているんだ」と言い放った。（中略）

しばらくやりとりが続いた後に西村検事は、外交史料館長と私の顔を交互にながめながら、「意思は固そうで、任意同行には応じていただけないようですね。それでは逮捕ということになりますが、どこでしましょうか」と問うてきた。

館長は黙っている。検察事務官たちが敵意をもったまなざしで私をにらんでいた。

私が「通常に業務を遂行しているのに捕まるわけですから、執務室の机で捕まえてもらうのが筋でしょう」と答えると、例の目の血走った事務官が何か言いそうになったので、西村検事がそれを遮って、「それだといろいろな人が見ているので、人権上よくないですね。どこかいい場所はないですかね」と言った。

「いまさら僕の人権には配慮しなくてもよいですよ。検察庁はこれまでリークで十分人権侵害をしてくれましたからね。皆さんの見せ場を作るためにプレスの人たちもたくさん来ているので中庭で逮捕したら絵になるんじゃないですか」と私は提案した。

これに対して西村検事は、「いやいや、できるだけ被疑者の人権に配慮するのがうちの流儀なんで、手錠なんかかけた姿がマスコミに見られないように気を遣うんです。そうだ、手錠はかけないで行きましょう」と言うので、私は「そんなに気を遣わないでいいですよ」と答えた。

それでも「どこか会議室はありませんか。そこまで任意で移動して頂いて、そこで逮捕するということでよいですか」と提案してきたので、私は「任意」で三階会議室に移動し、そこで逮捕状の執行を受けた。〉（佐藤優『国家の罠《わな》　外務省のラスプーチンと呼ばれて』［新潮文庫、二〇〇七年］五五～五七頁）

この瞬間に、外交官としての佐藤優は、終わったのである。ここから、全く別の人生が始まった。ニコロ・マキアヴェッリにも、私と同じようなカイロスがあったのだと思う。塩野氏はこう記す。

〈四十四歳の男にとって、職を解かれるということは、どういう意味をもつのであろう。生計をたてる必要はもちろんあったが、それだけではなく就職した職場、その職場を四十四歳になって突然追われたら、どのような心境になるものであろうか。

マキアヴェッリは、二十九歳の春からこの年までの十五年間勤めてきた、フィレンツェ共和国第二書記局書記官の職が気に入っていたのである。出張経費の少なさに苦情を言いながらも、自分のしている仕事が心から好きだったのだ。それを、汚職をしたわけでもないのに、仕事に手落ちがあったわけでもないのに、突然解任されたのである。共和政体が崩れ、かわりにそれまで追放されていたメディチ家が、政権に返り咲いたからであった。〉（本書二八～二九頁）

マキアヴェッリにとってのカイロスは、一五一二年十一月七日だった。この日にマキアヴェッリはフィレンツェ政府のすべての公職から解任された。政争に巻き込まれたのだ。ノンキャリアであったが、有能な官僚（外交官でもある）のマキアヴェッリの不幸は、公職からの追放だけでは、終わらなかった。

〈しかも、彼にふりかかった災難は、これで終ったのではない。翌年、反メディチの陰謀が発覚したおり、それに加担していたという疑いで牢獄《ろうごく》に投げこまれ、一ヵ月半の牢獄生活を強いられるという不幸まで加わった。牢ぐらしが一ヵ月半ですんだのは、メディチ家のジョヴァンニ枢機卿が、レオーネ十世として法王に選出されたからである。はじめてのフィレンツェ出身の法王の誕生に、フィレンツェ人は、メディチ、反メディチのちがいも忘れて狂喜する。マキアヴェッリが出獄できたのは、罪が晴れたというわけではなく、レオーネ法王即位を祝う大赦によってであった。

だが、この災難のおかげで、書記官解任だけならばフィレンツェ市内に住みつづけることもできたマキアヴェッリも、法的な処置ではなかったとはいえ、自発的な追放生活は選ばざるをえなくなったのである。一五一三年四月、彼は家族とともに、サンタンドレア・イン・ペルクッシーナの山荘に向う。望みもしない隠遁《いんとん》を強いられたのは、四十四歳になる一ヵ月前であった。〉（本書二九頁）

日本では、男の厄年は四十二歳だ。私が検察に逮捕されたのも四十二歳のときだ。マキアヴェッリの場合、四十三歳で後厄に遭遇したのであろう。

日本の歴史教科書を見ていると、マキアヴェッリはルネサンスの時代の人である。ルネサンスは、社会構造的に中世と結びついている。カトリック教会とヨーロッパ社会は一体化していた。従って、教会から破門されることは、同時に社会から追放されることを意味した。異端として追放された人間は、火刑にされるという印象が強いが、それはむしろ例外的な場合だ。異端者は、人里離れた森に追放されるのである。そこで、狩猟、採集、あるいは農業を営み、自活していかなくてはならない。狼男《おおかみおとこ》伝説は、このように異端として追放された人間に対するキリスト教社会の側からの恐れによって生まれたのであろう。

ヨーロッパの社会構造は、ルター、ツヴィングリ、カルヴァンによって展開された宗教改革によって変化する。歴史教科書では、一五一七年十月三十一日、ドイツのヴィッテンベルク城の教会の扉にマルティン・ルターが、免罪符（贖宥状《しょくゆうじょう》）の販売に反対する「九十五ヵ条のテーゼ（公開質問状）」を貼りだしたときに始まるとされる。この公開質問状を貼りだしたとき、ルターは自らの行為が歴史にどれだけの影響を与えるかについて自覚していなかった。この行為の結果、カトリック教会と袂《たもと》を分かったプロテスタント教会が生まれた。ヨーロッパ社会とカトリック教会は一体でなくなった。ヨーロッパ社会に属しながら、プロテスタント教会に属する別の領域が生まれたからだ。この出来事が、ヨーロッパ社会がキリスト教会から離れ、世俗化社会が生まれる道筋を整える。後から振り返ると一五一七年十月三十一日は、カイロスだったのだ。

マキアヴェッリも『君主論』を書いた時点では、この本が近代政治学の黎明《れいめい》となるカイロスをつくりだすとは思わなかった。私も、『国家の罠』を書いた時点で、この本が特捜神話に一石を投じることになるとは思わなかった。カイロスとは、それが起きている瞬間においては気づかないものなのだ。

マキアヴェッリもルターも、時代の転換を見ていた。宗教改革に関する見方を少し変えると、このことがよくわかる。チェコの神学者は、宗教改革を十五世紀の第一次宗教改革と十六世紀の第二次宗教改革に分ける。十六世紀の宗教改革は、前に述べたルター、ツヴィングリ、カルヴァンらによって展開された。これに対して、十五世紀の宗教改革は、チェコ（ボヘミア）のヤン・フス、ヒエロニムスらによって展開された。フスは、ローマ教皇（法王）の権威を認めなかった。現実に存在するカトリック教会には、救いが約束されている真実の信徒と、そうでない偽りの信徒が混在している。教会の頭は、教皇ではなく、イエス・キリストだ。そして、イエス・キリストを頭とする真実の教会は、人間の目には見えないのである。言い換えると、真実のキリスト教徒は見えない教会に所属している。この言説は、フスの百年後に登場するルター、ツヴィングリ、カルヴァンなどが提唱したプロテスタンティズムの教会観を先取りしている。

フスに批判的なカトリックの神学者マイケル・ノウルズはこう記す。

〈フスは国王や民衆の支持に励まされてますます激越となり、免償状に対する攻撃を筆にし、また公開の席上でも告発を続けた。彼の『反免償状論』（Adversus indulgentias）という論文は、多くはウィクリフ（引用者註＊十四世紀のイングランドで活躍した改革派の神学者）の著作からとったものである。さらに彼はいまや、司祭による告解の罪の赦《ゆる》しの価値まで否定するに至る（この説は、かつて中世初期に見られ、それ以後、長く否定されてきたものであり、フスはこの立場に再び戻ったわけである）。また同時に、聖書の権威だけを唯一《ゆいいつ》の信仰の規準として提示した。一四一三年、教皇ヨハネス二十三世は、ウィクリフの教説をあらためて断罪したが、フスはこれに対抗して、ウィクリフの著作をもとに『教会について』(De ecclesia) を書いた。これによれば、信徒を構成するのはあらかじめ救済を予定されている人びとだけであって、罪人は信徒には含まれない。〉(M・D・ノウルズほか、上智大学中世思想研究所編訳『キリスト教史4 中世キリスト教の発展』[平凡社ライブラリー、一九九六年] 五四七〜五四八頁)

一四一五年七月六日、フスはコンスタンツの公会議で異端と宣告され、ただちに火刑にされた。そのため、フスの宗教改革は、中途半端なまま終わった。しかし、コンスタンツでフスが処刑されなければ、チェコから、新しい教会が生まれ、それはプロテスタンティズムと同じ形態をとったものと思われる。

コンスタンツの公会議では、フスに異端宣告を行うとともに、三人の教皇が鼎立《ていりつ》しているという教皇庁の不正常な状態にも終止符を打った。この背景にある教皇庁の大分裂（シスマ）について説明したい。教会史の少し細かい話になって恐縮だが、マキアヴェッリがなにを見たかという問題を理解するために不可欠なので、お付き合い願いたい。

一三〇九年から一三七七年まで、当時の政治情勢の影響で教皇庁がローマではなく、フランスに隣接する教皇領アヴィニョンにとどまる。一三七七年に教皇はローマにもどったが、同時にアヴィニョンにも対立教皇が就任する。教皇庁が分裂する状態になった。これではまずいということで、一四〇九年三月、イタリアのピサで公会議が開かれ、ローマ、アヴィニョンの教皇をそれぞれ退位させ、新教皇を選んだ。しかし、ローマとアヴィニョンではそれぞれ別の教皇が就任し、三人の教皇が鼎立するという、一層、複雑な状況に陥ってしまった。一三三七年から一四五三年までの百十六年間、イギリスとフランスの間で百年戦争が起きた。一三四八年から四九年にかけての黒死病（ペストであるというのが有力説であるが、他の疫病であったという説もある）で、ヨーロッパは人口の三分の一を失った。このような構造的危機を経て、十五世紀末から十六世紀初頭に、ヨーロッパの社会構造が内側から変化していくのである。マキアヴェッリもルターも、そのような時代の子なのである。

この過程を私なりに整理したい。三一三年、コンスタンチヌス帝が公布したミラノ勅令により、ローマ帝国がキリスト教を公認し、国家と教会が癒着した「コルプス・クリスチアヌム（キリスト教共同体）」が形成された。このようなコルプス・クリスチアヌムとしてのヨーロッパが十五世紀から脱構築され、その流れが十六世紀前半に不可逆的になったのである。別の表現をすれば、チェコの宗教改革からポスト・コンスタンチヌス・エラ（コンスタンチヌス帝以降の時代）が始まったのである。

宗教改革という名の下で、カトリシズムに包摂されない、チェコ人、ドイツ人の地金が出てきた。フスもルターも、神の言葉は、ラテン語ではなく、民衆の言葉であるチェコ語、ドイツ語で語られるべきであると主張し、実践した。その結果、キリスト教以前の、土俗のスラブ、ゲルマンの部族的伝統と宗教感覚が、プロテスタンティズムの仮面の下でよみがえる。近代になって宗教に代わり、人間が生命を捧《ささ》げる原理となる民族は、キリスト教以前の土俗の伝統がロマン主義的に再解釈され復活されたという面がある。この担《にな》い手になるのが民衆だ。この定式化は誤解を招く。私は、民衆が歴史の主体であるなどという一昔前のマルクス主義者のような主張をしているのではない。民衆に支持される表象を巧みに用いた政治エリートと知的エリートが、時代を先導しうることに注目してるのだ。

イタリアにおいて、マキアヴェッリは、コルプス・クリスチアヌムを脱構築し、古代ローマの祖霊を呼び起こし、国民（民族）によって形成されるイタリア国家への道を敷いたのである。『わが友マキアヴェッリ』、『ローマ人の物語』に通底する塩野七生氏の史観には、キリスト教に覆《おお》われてしまったが、ヨーロッパ人の中に確実に流れているローマ人の伝統に対する公平なまなざしがある。非キリスト教文化圏の知識人である塩野氏であるからこそ、欧米人に見えないヨーロッパの基底が見えるのだ。

ニコロ・マキアヴェッリが見たのは、このような大きな歴史の転換点なのだ。塩野氏は、〈マキアヴェッリは、民衆とふれあうのを当然と思い、またそれを好んでいたメディチ家の時代に、生きたのであった。〉（本書五四〜五五頁）と強調するが、その通りと思う。

ただし、マキアヴェッリは、民衆を礼賛《らいさん》しない。民衆を正しい方向に誘導する指導者が必要とされる。正しい方向とは、国家を保全することだ。国家が保全されてはじめて、当該国家の領域内にいる民衆の生活と安全が確保されるからだ。マキアヴェッリはフィレンツェ共和国の官僚であり、忠誠は一貫してこの共和国に対して捧げられていた。しかも、フィレンツェ共和国の安全保障をイタリア半島の独立と自由という枠組みの中で考える。

〈軍事大国でないフィレンツェ共和国の独立と自由を守るのは、イタリア半島の独立と自由が守られてこそである。そして、これまた軍事大国ではないイタリアの独立と自由を守るには、イタリア内の各国が互いに争っていてはだめである。それゆえに問題は、イタリアの中の各国の、争いの源をとりのぞくことにある。〉（本書一〇八頁）

私は、一九八七年八月から一九九五年三月まで、モスクワにおいて、日本の外交官として過ごした。その間、一九九一年十二月にソ連が崩壊した。この過程を私は内側から見た。そして、その後、ロシアで起きた社会主義から資本主義への体制転換を見た。この体験を経て、私は国家主義者になった。

カール・マルクスやマックス・ウエーバーが言うように、国家の特徴は合法的に暴力を行使するところにある。普通の国民にとって、国家は危険な存在だ。国家は抽象的な存在ではない。官僚によって担《にな》われている。私自身が官僚だった。外務省という官僚組織が、普通の日本国民を冷たく切り捨てていく姿を何度も目撃した。官僚機構の内側にいるとき、私は国家の暴力性を理屈では理解していたが、皮膚感覚ではわからなかった。なぜならモスクワで情報収集やロビー活動の任務に従事しているとき、日本国家の権力（暴力）が、私を庇護《ひご》してくれる頼もしい存在だったからだ。検察に逮捕され、東京拘置所の独房に五百十二日間勾留《こうりゅう》され、弁護人以外との面会、文通を禁止され、新聞購読も認められないような環境に置かれて、はじめて私は国家の暴力性を自覚した。このような自覚をもつようになっても、私は国家主義者であり続ける。それは、たとえ国内で国民に対して乱暴な暴力を行使する可能性があっても、他の国家との関係において、日本国民を守ることができる枠組みは日本国家しかないからである。そして、この状態は予見できる未来において、変化することはない。われわれ近代人は、国家とともに生きていくことを余儀なくされているのだ。私の理解では、真の国家主義者は、国家が必要悪であるということを自覚している。マキアヴェッリもその一人であると私は考える。

マキアヴェッリが見たのは、国家（と官僚）は生き物で、そこには独自の文法があるということだ。

例えば、政治家における運だ。合理的計算からはみだす運は、文法において合理的に説明することが難しい固有名詞に似ている。運についてのマキアヴェッリの認識を塩野氏はこうまとめる。

〈人間は、運に恵まれない人に対して同情はするが、幸運に恵まれつづける者のほうを好むものである。

それはなにも、寄らば大樹の陰、などという安易な気持からではない。個人個人は諸々の「神のくだされる試練」と闘う毎日を送っている彼らにしてみれば、それをしないですんでいるらしい「神の愛したもう者」を見るほうが、救われる気分になるからである。

ナポレオンは、同程度の才能をもつ将軍が二人いれば、運の強いほうを登用したそうだが、人間がなにかをしようとする場合、いかに優れていても才能だけでは充分でなく、運というものが大きくものを言うことを理解している者は、マイノリティにすぎない。しかし、マジョリティも、人間心理のごく自然な発露としても、運の強い者を好む傾向は共有しているのである。〉（本書一四七頁）

確かに運がいい政治家はいる。私が見た中では、何度も絶体絶命の危機を、運という以外の言葉では説明できないような偶然の繰り返しによって乗り切ったのがロシアのボリス・エリツィン初代大統領だ。もっとも、結果として、成功した人を評して、「結局、あの人は運がいい」ということになるのだろう。いずれにせよ、運をつかむのも実力のうちなのである。

私自身を省みても、運が良かったのだと思う。まず、プロテスタント神学という特殊な勉強をしたために、大学で教えられている学問と異なる全体知に関する「土地勘」のようなものができた。その後、いくつかの偶然が重なってロシア語を専門とする外交官になった。もし、私が当初希望したチェコ語を専門とする外交官となったら、まったく異なる人生を送っていたことと思う。そして、これも巡り合わせでモスクワに七年八ヵ月も勤務することになり、ソ連崩壊を見ることになった。その後も、北方領土交渉に関与し、橋本龍太郎《りゅうたろう》、小渕恵三《おぶちけいぞう》、森喜朗《よしろう》の三総理の動きを間近で見ることになった。前に述べた検察による逮捕と五百十二日間の獄中生活も、日本国家を官僚生活と対蹠《たいせき》的な場所から見るよい経験だった。これらはすべて運だ。

私は、『国家の罠』が、世間に受け入れられ、単行本、文庫本を合わせて二十九万四千部（二〇一〇年二月現在）のベストセラーになるなど、夢にも思っていなかった。東京地検特捜部の正義は絶対で、刑事被告人の異議申し立てに耳を傾ける余地が日本の社会にはないと思っていたからだ。『国家の罠』が受け入れられなければ、私が作家になることもなかった。全ては運がよかったからだと思っている。

マキアヴェッリは運をつかむことができなかった野心家を何人も見てきた。その一人が修道士のサヴォナローラだった。サヴォナローラは預言者であると自称し、清貧な生活を実現するためにぜいたく品を焼却することを民衆に勧めた。また、自らが指導する祭政一致の国家運営を主張した。ポピュリズムに訴え権力基盤を拡大したサヴォナローラは、自ら落とし穴に落ちてしまう。反対派より提出されたサヴォナローナに火の中をくぐり抜ける「火の試練」を受けよという挑発に乗ってしまう。サヴォナローラの一番弟子である修道士ドメニコが、一四九八年四月七日に「火の試練」を受けることになった。しかし、当日、さまざまな口実を設け、ドメニコは「火の試練」から逃げた。その結果、サヴォナローラの人気は一瞬のうちに失墜した。サヴォナローラは裁判で拷問にかけられ、「神の声は聞かなかった」と告白し、偽《にせ》預言者であることを認めた。その結果、サヴォナローラは弟子二人とともに同年五月二十三日に火刑に処せられた。

〈この時期のマキアヴェッリが書いた、手紙が一通残っている。一四九八年三月九日の日付だから、〝火の試練〟の一ヵ月前に書かれたことになる。あて名はローマ駐在フィレンツェ大使リカルト・ベッキで、文面から推測するに、大使がマキアヴェッリに、サヴォナローラについての情報を求めたのに応じて書かれたものであろう。年長の、しかも高位の人に対しての報告だから、若いマキアヴェッリは、自分の判断を極度に押えて、情況の報告に徹している。それでも、一行、彼の見解がのぞく箇所がある。サヴォナローラの説教は、「冷静に考えをめぐらすことが不得手な人々に対しては効果ある、大げさな脅しではじまる」としているところである。また、報告の書き方自体からも、冷やかさを感じずにはいられない。そして、後年のマキアヴェッリは、『君主論』の中で、再びサヴォナローラに言及することになる。それは、民衆の支持を得るのはさほどむずかしいことではないが、いったん得た支持を保持しつづけるのはむずかしい、ということを述べた項である。もちろん、サヴォナローラは、失敗の例としてとりあげられたのであった。〉(本書二〇九頁)

私もサヴォナローナの物語に似た風景を見たことがある。一九九七年十一月、西シベリアのクラスノヤルスクでのことだ。当時の新聞を引用しておく。
〈2000年までに日ロ平和条約　「東京宣言」に基づき締結へ全力
【クラスノヤルスク（ロシア）2日＝小沢秀行、大野正美】ロシア訪問中の橋本龍太郎首相は二日（日本時間同）、エリツィン大統領と会談し、北方領土問題の解決を通じた両国関係の完全な正常化を確認した一九九三年の「東京宣言」に基づき、「二〇〇〇年までに平和条約を締結するよう全力を尽くす」ことで合意した。大統領は首相に対し「（北方領土問題は）自分が大統領のうちに解決したい」と明言。具体的な返還方法についても両首脳が考えを述べ合ったという。大統領が来年四月中旬に訪日し、改めて会談することも決まった。平和条約の締結に目標期限を設けたのは、五六年の日ソ共同宣言以来の大きな前進といえる。次回の首脳会談で平和条約締結の道筋をどこまで示せるかが、今後の課題となる。
　両首脳は会談後、共同記者会見に臨んだ。この中で、首相は「東京宣言に基づき、二〇〇〇年までに平和条約を締結するようお互いに全力を尽くすことで合意した」と語り、大統領もこれを確認した。平和条約に関して、首相は「土台は東京宣言である」として、平和条約の締結交渉では北方四島の帰属問題が協議されると強調。また、「ロシアと日本との間が不正常な状態は本当によくない」と述べた。

首相同行筋によると、平和条約の締結はエリツィン大統領から一日の会談で持ち出された。これを受け、双方で合意発表の具体的な表現をめぐって徹夜の調整が進められた。日本側の要望で、四島返還を担保する「東京宣言に基づき」という文言が盛り込まれた。

首脳会談で、首相は今回と同様の「ネクタイなしの会談」を来年春に日本で開くことを提案。大統領は受諾した。首相は、個人的な信頼関係を深める目的で「お孫さんも含めてご家族で来ていただきたい」と述べた。

一方、大統領は共同記者会見で、一日の会談で合意した包括的な経済協力の枠組み「橋本・エリツィン・プラン」について「一番興味深い」と評価。「日本をみて国民がいかに豊かな国をつくりあげたかを知るのが重要だ」として、経済協力の強化に期待を示した。

日本側によると、両首脳は二十一世紀に向けて日ロ友好関係を発展させる目的で、「二十一世紀委員会」（仮称）を設置することでも合意。大統領が「シベリア抑留者が埋葬された日本人墓地の調査をさらに進めたい」と伝え、首相は「日本人に感銘を与える」と述べた。

国際的枠組みでは、首相がロシアのアジア太平洋経済協力会議（ＡＰＥＣ）への参